U0148457

敬請

指教

蕭人儲 敬贈

文學叢刊

流痕記

蕭人儲著

文史哲出版社印行

代序

喜極而泣
悲戚哀淚

流痕記

目次

新詩

先父遺像

先母遺像

人儲戎裝

人儲、素蘭結婚照

全家合照（長子傳銘往生）

蕭劉兩家合照

大陸全家合照

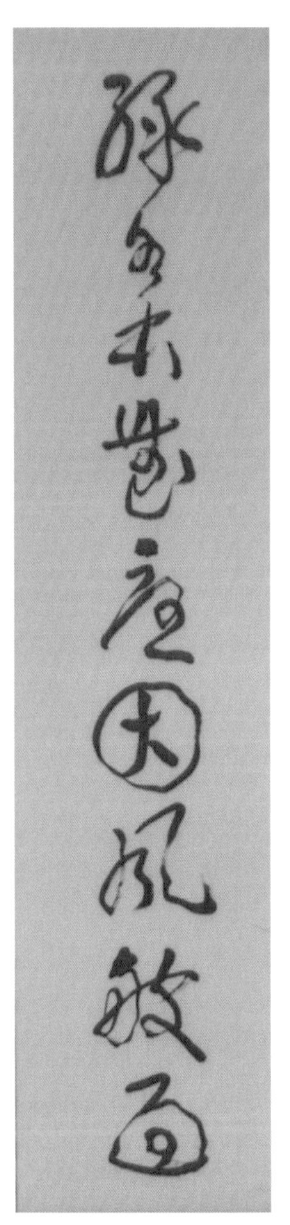

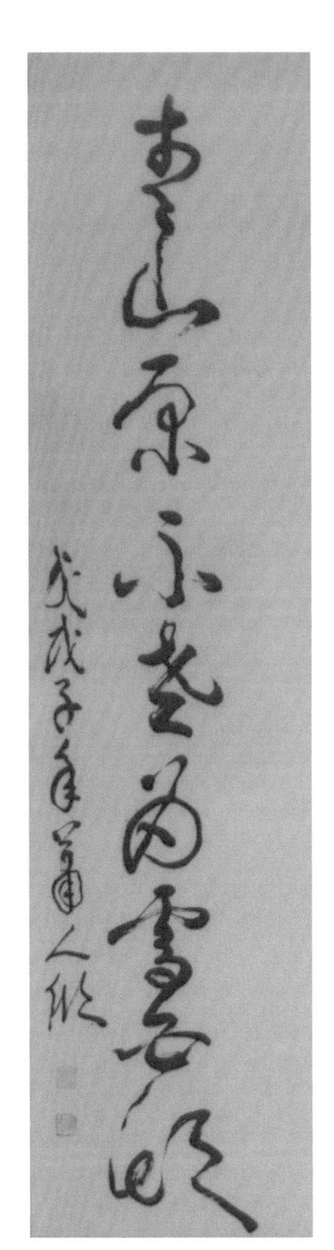

綠水本無憂，因風皺面。
青山原不老，為雪白頭。

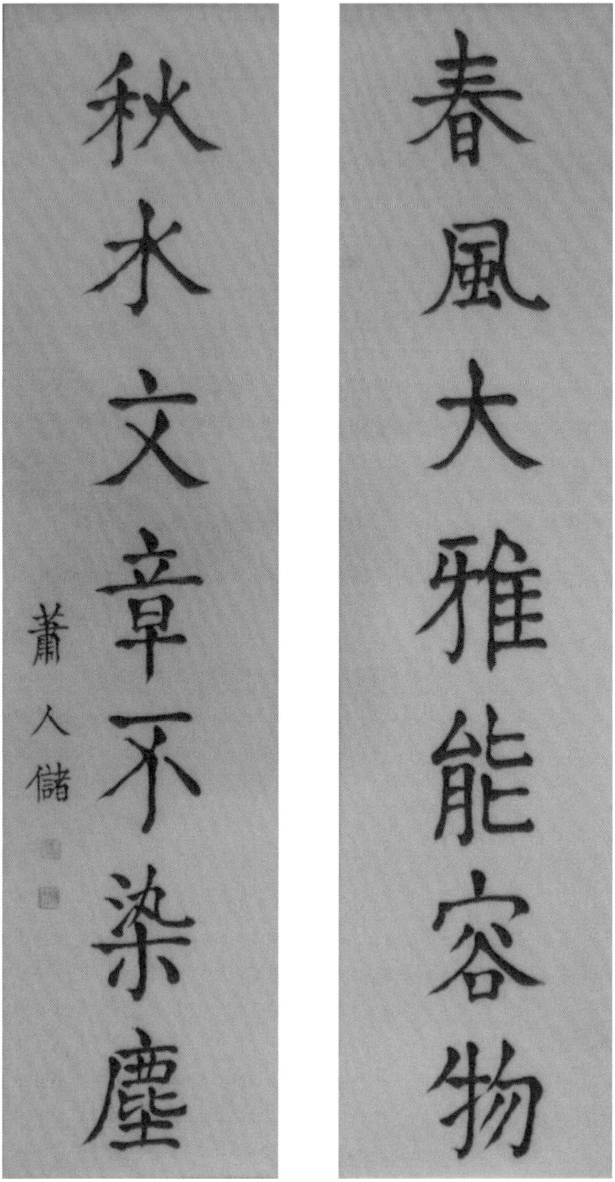

春風大雅能容物
秋水文章不染塵

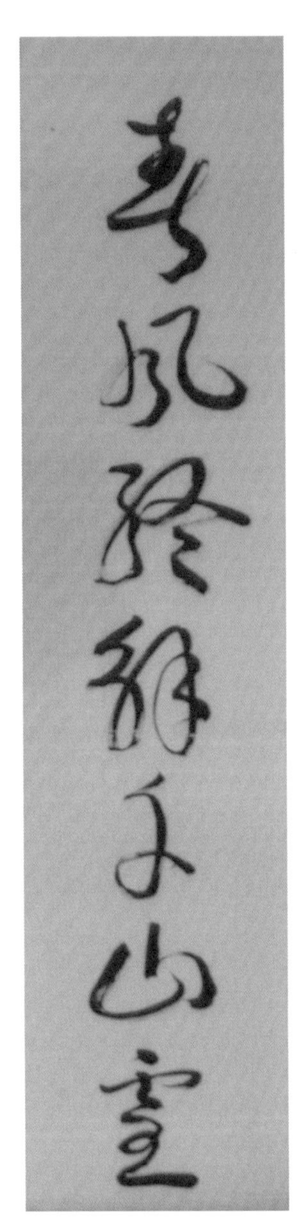

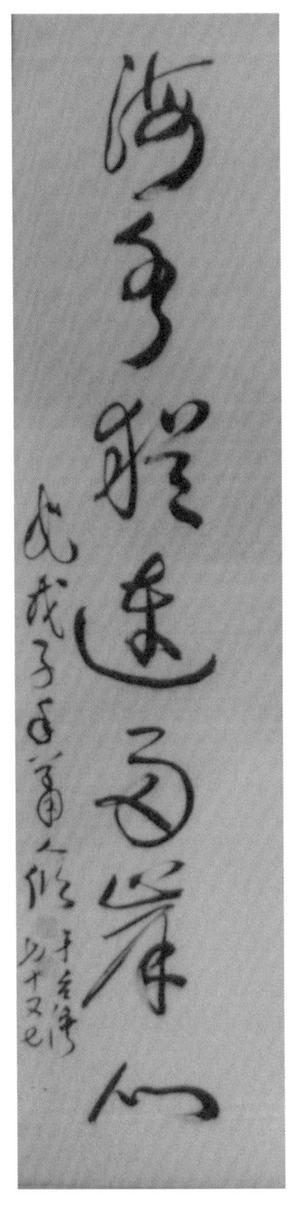

春風終解千年雪
海水猶連兩岸心

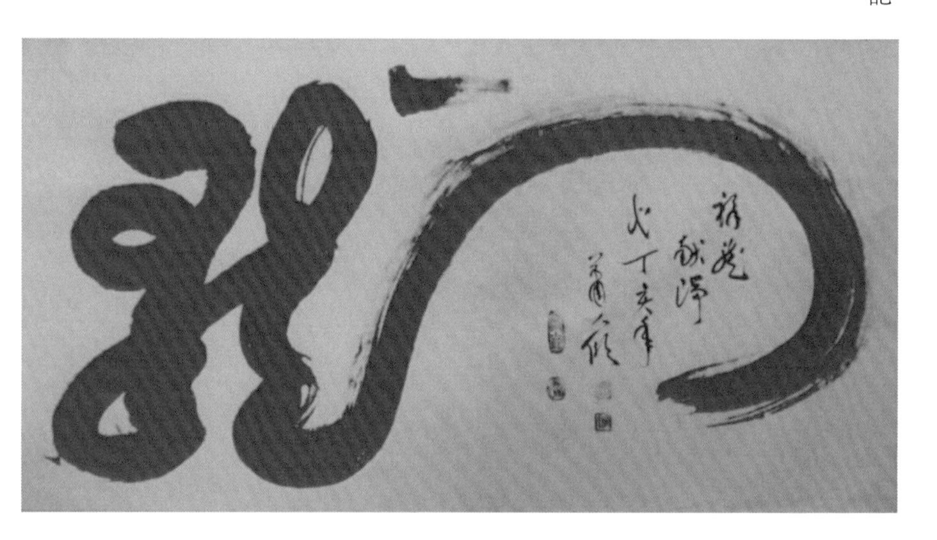

龍

大道之行也天下為公選賢與能講信修睦故人不獨親其親不獨子其子使老有所終壯有所用幼有所長矜寡孤獨廢疾者皆有所養男有分女有歸貨惡其棄於地也不必藏於己力惡其不出於身也不必為己是故謀閉而不興盜竊亂賊而不作故外戶而不閉是謂大同

民國甲子年 [illegible]

大道之行也天下為公選賢與
能講信脩睦故人不獨親其親
不獨子其子使老有所終壯有
所用幼有所長鰥寡孤獨廢疾
者皆有所養男有分女有歸貨
惡其棄於地也不必藏於己力
惡其不出於身也不必為己是
故謀閉而不興盜竊亂賊而不
作故外戶而不閉是謂大同

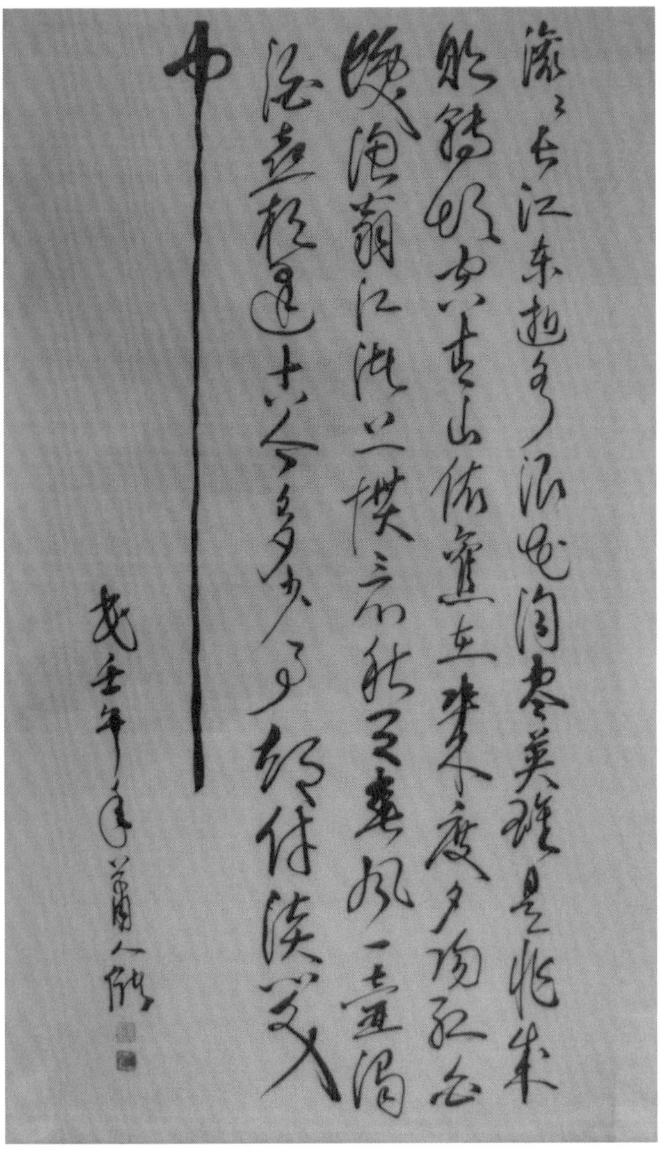

滾滾長江東逝水，浪花淘盡英雄。
是非成敗轉頭空，青山依舊在，幾度夕陽紅。
白髮漁翁江渚上，慣看秋月春風。
一壺濁酒喜相逢，古今多少事，都付笑談中。

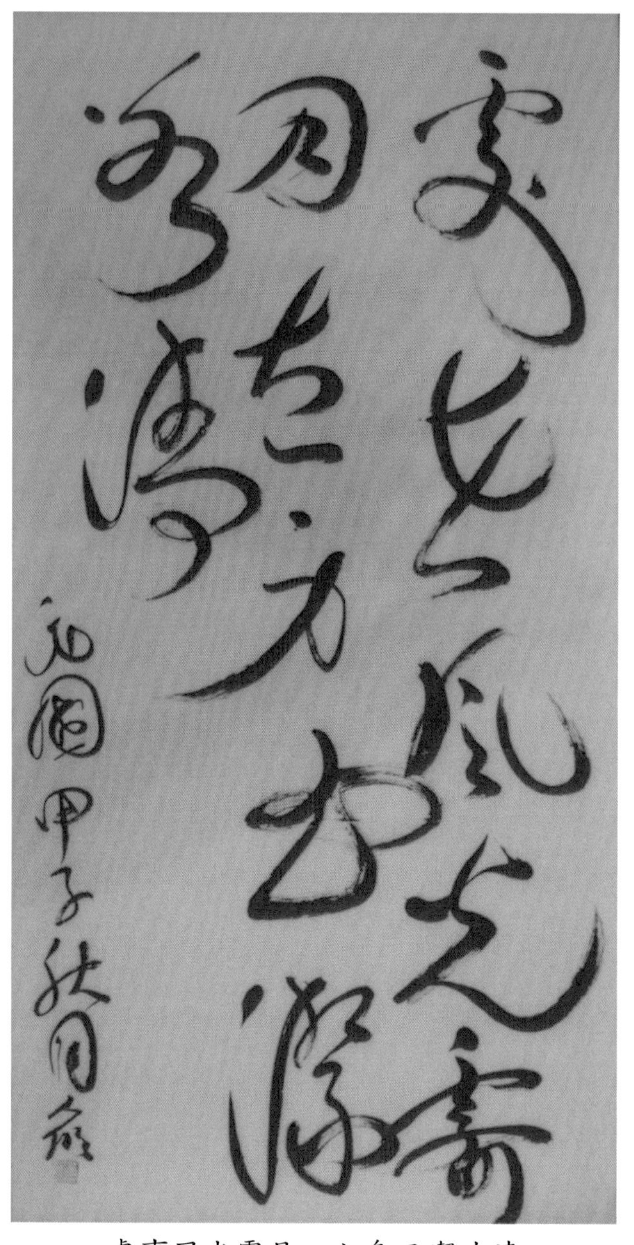

處事風光霽月，立身玉潔冰清

散　文

燕居小築簡語

燕居小築代表我在臺灣白手成家後，擁有的小屋，亦是我在臺灣數十年點點滴滴，辛辛苦苦的所有。

我出生在一個純樸的農家，泰和縣馬市鄉白土街溉居（塘）村（現改蘇溪鄉），父親蕭爲楷公與母親羅三秀太夫人。一九四九年我赴贛縣習電訊報務技術時，因大環境的突變，戰亂中有家歸不得，因而隨軍輾轉到臺灣，一晃四十餘年飄浮在外，與家音訊斷絕。在臺灣舉目無親，歷盡滄桑，備嘗遊子的痛苦。

軍中生涯從基層二等兵、一等兵、上等兵、下士、中士、上士、准尉、少尉、中尉、上尉、少校、中校、至上校階退伍，歷時卅七年，足跡隨著部隊或職務的異動，除走遍臺灣每個角落，金門馬祖澎湖等外島亦均駐守，在我的記憶裡留有不可磨滅的烙印。在金門三年，時感幼年家境清寒讀書不多，在知識爆炸的現實環境中激發了我求知的欲望，於是默默奮而苦讀，金門圖書館藏書幾乎借讀閱畢。同時亦參加了中華文藝函授學校散文、詩歌斑及新聞、書法、易經等函授。軍中教育有通信兵學校技訓班，政工幹校初、高級班，研究班及革命實踐研究院畢業。曾任軍職處組長主管與隨軍記者，獲得獎章多座，退伍後在出版公司任經理八年。

離鄉背井數十年無家音，每當午夜夢迴在我心底深處，無時無刻不思念夢縈家鄉的一情一景一草一木；一九八八年臺海兩岸開放探親，即毫不猶豫而偕荊蔡素蘭女士直奔家門，拜見闊別數十年所思念的慈母，祭祀先父及祖先，並在胞弟人伍的陪同下造訪村內街坊鄉親，聽聞村裡宗祠及族譜等，已在文化大革命時期遭破毀殆盡；村裡每逢喜慶聚會無聚所，我承母命爲克紹箕裘愼終追遠造福鄉里，返臺後即籌資支持故園建造、拓建白土街至溉居（塘）村行車便道，捐款蘇溪鄉中心小學蓋校舍。

一九八八年任黎明文化事業股份有限公司經理。（一九八九年）九月第二次大陸行，參加海峽兩岸第一次文化交流北京國際書展。一九九〇年參加第二次北京國際書展，並到西安、成都、上海、廣州等新聞出版局訪問。一九九三年及九六年隨臺北市出版公會訪問福建省新聞出版局，並參加福建省新聞出版局新建大樓落成剪彩典禮，同時參加臺灣第一次到福建省書展等文化交流活動。每次到大陸各地參加文化交流活動，心中總希望能促成江西省與臺灣的文化交流或互辦書展。一九九六年五月臺北市出版公會應福建省邀請訪問時，我特別協調臺北市出版公會要求福建省新聞出版局安排訪問行程中到廬山、南昌三天，與江西省新聞出版局舉行文化交流座談，由局長熊向東、梁凱峰先生等接待。臺北市出版公會曾致函申謝。

臺北每次舉辦國際書展時，若有大陸各省參展，我必親訪接待江西省參展人員，如江西省美術出版社張南峰，文藝出版社朱煥添（已逝世），及九七年大陸第一次在臺北辦書展江西省出版總社曾少權，教育出版社楊鑫福等先生因此成爲好友。

另爲幫助臺灣有志到大陸升大學研究所的同胞，編印《中國大陸大學研究所升學指南》一書。

中國的統一前提首在取得共識，而共識的建立即有賴於文化教育的交流與建構，我近年來奔走兩岸的點點滴滴只是爲兩岸文化教育交流提供綿薄之力。

歲月不饒人，我已是坐六望七近古稀之人，孑身飄泊異域，雖已枝繁葉茂，擁有自己的家室子女，然對生我養我的父母卻未能善盡人子應盡的孝道，是我今生最大的遺憾，特此向我最敬愛的爸爸媽媽請罪。

「燕居海隅點點滴滴盡在心頭，小築蓬萊辛辛苦苦皆是血淚」是我自己幾十年異鄉生活的寫照。「野人拓荒自成一家，山中耕耘此樂萬古」爲我幼年在家跟隨父親插秧割稻，未曾接受高等教育，在外四十餘年工作之暇，勤讀苦學的內心感受與自勉。

《情繫桑梓——吉安地區旅臺同胞感懷輯》一九九八年九月出版

祝賀母親期頤華誕

我是一個小平民，我有一位賢能偉大的母親。我的母親沒有讀過書，對做人做事的道理懂得很多。民國卅八（一九四九）年我在父親爲楷公及堂兄人傑（均已逝世）的鼓勵，投考第三編練司令部電信訓練班，離鄉背井，先到贛州通天岩受訓，後因國軍失利大環境隨之突變，隻身隨軍輾轉來台，軍中生涯卅七年從二等兵、一等兵、上等兵、下士、中士、上士、准尉、少尉、中尉、上尉、少校、中校、上校退伍，由於母親當年的耳提面命的教導，使我在人生的坎坷旅途一路走過。

母親姓羅名三秀生於民前九年三月十九日，當時家境雖是小康，因社會環境的保守在鄉村的女孩能讀書，除非詩書世家可說少之又少，母親雖然沒有入堂讀書，可是在傳統式的家庭對三從四德，相夫教子，尤其對敦親睦鄰，待人處世，教育子女非常嚴謹，記得我五、六歲的時候家鄉鬧土匪，有一天家裡突然來了幾個手持大刀的人，將我的右手右腳綁起來掛在大門口大刀架在我的脖子上，要脅我母親交出貳佰元銀圓，當時父親已逃跑到後山，母親因爲是三寸金蓮未能及時帶我逃走；母親對土匪的兇惡不僅毫無懼色，更不理會他們的無理要脅需求，足見母親的膽識過人不輸給一般有知識的人。

歲次壬午（二〇〇二）年五月一日即農曆三月十九日，是我母親的期頤華誕，我偕拙荊蔡素蘭女士與彭正雄先生四月廿六日搭國泰航空公司班機，經香港轉乘大陸東方航空公司飛機至南昌，彭先生是文史哲出版社發行人亦是董事長兼總經理，他代表出版同心會成員（健新書局董事長亦是前台北市出版公會總幹事陳礎堂、全華科技出版公司董事長陳本源、大輿圖書公司董事長周法平、知音出版社社長何志韶、前台北市出版公會總幹事吳端、躍昇文化事業公司總經理林蔚穎、大學出版社負責人王麗敏、自由青年作家吳孟樵小姐）至江西泰和我老家向我母親百歲生日拜壽；我們抵達南昌時江西省出版總局長梁凱峰先生親至機場接待。因彭先生第一次來到江西，第二天由梁凱峰先生與科技出版社沈火生社長等人陪同驅車至廬山九江遊玩，廿九日再由梁局長的座車載我們至井崗山遊玩。五月一日回到泰和蘇溪鎮家鄉彭先生首先將一對金手鐲及壽聯等賀禮致送給家母並將手鐲戴上我母親的雙手，然後參加舍侄正芬的婚禮喜宴；晚上在祠堂爲我母親暖壽，以傳統式大禮行之；凡是我母親的晚輩都叩頭拜壽，典禮非常隆重，全村數百人觀禮，鞭爆聲、鑼鼓聲響徹雲霄好不熱鬧；當我們家族行過拜壽禮，彭正雄先生突然從群中跑到我母親前雙腿跪下行大禮，並致送他自己準備的人民幣壹仟元紅包；這次家母百歲還有泰和縣旅台同鄉李宗傑、郭篤周、傅學燊、楊贊淦、王道隆、白志琴、劉學渠、王說堯、歐陽克沛、郭慶堅鄉長致送的「婆婺星朗耀」匾額和我在軍中的長官前空降特戰司令廖明哲中將親自書寫的壽軸一幅，令我畢生難忘，衷心感激。我亦要謝我的胞弟在我離開家鄉幾十年全靠他與賢侄們的照顧侍奉，人伍弟！謝謝您。

民國四十三年我在金門的時候看過「胡適四十自述」胡適先生說：「我孤零零地一個小孩，所有的防身工具，只有一個慈母的愛」又說「在這廣漠的人海裡，獨自混了二十多年，沒有一個人管束我。如果我學得了一絲一毫的好脾氣，如果我學得了一點點待人接物的和氣，如果我能寬恕人，體諒人，我都得感謝我的慈母」。我在祝賀母親期頤百歲之餘，願借胡先生的話作爲本篇的結語，亦是獻給的壽禮。

《江西文獻》第一八九期，民國九十一年（二〇〇二）八月出版

二等兵理事長感言

首先向各位鄉親拜年恭賀新春快樂！闔府平安！

二等兵理事長是江西省泰和縣馬市鄉人（現改爲蘇溪鎮），民國卅八（一九四九）年，投考第三編練司令部電訊班，赴贛州通天岩受訓。六月局勢逆轉，電訊班解散，分編至七十軍九十六師，在信豐和中共劉伯承部遭遇戰一晝夜。八月整個大陸環境突變，隻身隨軍（東南補訓團）於汕頭乘登陸艇來台，編入陸軍第六軍通信營二等通信兵，駐台北圓山，同船來台有康來忠、康來新、康舫等鄉長。因小時候家境清寒未能接受高等教育。同年十二月考入軍幹訓班通訊隊研習無線電報務技術，卅九年畢業，分派至二〇七師六二〇團通信連。四十年調回軍通信營無線電中心連。四十二年考入聯勤通信兵學校（後改陸軍通信兵學校）技訓班；四十三年畢業晉爲准尉，派至陸軍五十二軍通信營無線電中心連任准尉報務官，駐防金門前後三年曾參加九三砲戰。四十五年調防回台，因全國通信部隊無線電台台長改爲士官制，而奉命轉爲政戰工作，調軍政治隊派政戰部政四科辦理保防官業務。

二等兵理事長是由二等兵、一等兵、上等兵、下士、中士、上士、准尉、少尉、中尉、上尉、少校、中校、上校像爬樓梯一步一腳印的向上爬。因個性剛直不阿，不會逢迎拍馬，不懂爲官之道且朝中無人，曾任一個職務達七年六個月；工作績效曾當選全國三軍基層政戰模範單位（即後來的莒光連隊），第三屆政戰楷模，獲國防部頒發純金質獎章、獎狀，再當選全國軍公教保舉最優人員獲行政院、國防部等單位獎金。學歷：政工幹部學校（後改政治作戰學校）初級班、高級班、研究班及革命實踐研究院受訓結業。歷任：連營、大隊、總隊、特戰司令部、軍團司令部、陸軍後勤司令部、陸軍總司令部，憲兵司令部等單位參謀、幕僚主管等職務。

民國四十六年九月突然接到命令調情報局臨時成立的三一班，班主任包烈先生係屬情報局少將副局長，受訓期間包先生曾個別召見詢問泰和縣的情形，尤對縣內的山、水、人文狀況詢問非常詳細；後來據悉三一班成立的目的，在訓練一批有爲青年作特別重要工作，後因國際情勢及美國知悉阻擾而成立特種部隊（後改特種作戰部隊、空降特種作戰部隊）。曾接受空降跳傘、水上滲透、寒帶山地求生等艱苦訓練。

民國七十四年憲兵司令部退伍後，轉任黃復興單位工作三年，訪問過台北市所有小組。七十七年復至黎明文化公司，台北分公司任經理八年，俗云「隔行如隔山」脫下軍裝做生意，一竅不通，文化出版事業尤屬專業，爲此曾至空中大學、文化大學修習會計、印刷等新知，在黎明八年有幸認識同鄉人稱師爺之楊鄉長贊淦兄，應是我的高攀吧?!因而參加了泰和縣旅台同鄉會；二等兵應該感謝楊鄉長，同時亦要罵楊鄉長的推波助瀾、綁鴨子上架式選二等兵爲同鄉會理事長，真是受寵若驚，因自己才疏學淺，何德何能，同鄉會人才濟濟，二等兵充其量，大不了只是一個二等兵的材料，憑什麼當理事長。

詩云：「采石江邊一堆土，李白之名高千古；來來往往一首詩，魯班門前弄大斧。」二等兵不才，承蒙鄉親的抬愛，推選爲同鄉會理事長，惟巧婦難爲無米之炊，深知同鄉會目前財務拮据，在沒有錢的情況下，如何推展會務，實在是一個難題，好在有名譽理事長郭篤周鄉長暨諸位顧問、理、監事，名譽理事和總幹事胡士勳、財務組長張以蕪、服務組長張寶玉、泰和文獻編輯委員白志琴、歐陽克沛鄉長的指導匡助，以及全體鄉親的協力，將盡自己的所能，努力以赴，以答謝各位鄉親的厚愛。

《江西文獻》第一八九期，民國九十一年（二〇〇二）八月出版

二等兵理事長感言（二）

首先向各位鄉親拜年祝福新的一年身體健康！萬事如意！

時間像閃電般的快速過去，眨眼一年過去了，二等兵去年感言中說過「自己何德何能」在綁鴨子上架式被選爲泰和縣同鄉會理事長，因二等兵自三十八（一九四九）年隨東南補訓團來台，在軍中卅七年從來沒有參與社會民間團體活動，與同鄉會諸鄉長甚少往來，所以認識的鄉長僅有康舫、康來新等同船來台的幾位外，似乎不認識任何鄉親，就連我在新生中學的學長亦沒有連繫，後來退伍轉職黃復興黨部在台北市館前路建國大樓十樓上班，某日楊鄉長贊淦先生來到我們辦公室，經楊鄉長自我介紹說明是泰和縣同鄉以後我們才常有聯繫聚會，就此因緣際會認識了白志琴、歐陽克沛……等鄉長，後來也就參加了同鄉們每個月的聯誼餐會，但仍限於祇認識聚餐的十位鄉長而已。雖然近幾年來參加了同鄉會的活動，但天資魯鈍的我，記憶力有限，對每位鄉長的姓名住址仍然無法記憶。在接任泰和同鄉會理事長兩年的時間，甚少與鄉親們連絡，遑論為鄉親照顧服務，深感歉疚。自覺理事長應為鄉親們服務的，而未能服務鄉親，擔任理事長就失去意義。為此於第十一屆理、監事會第四次聯席會議中提案，於九十七年團拜大會時改選理事長，經由名譽理事長郭篤周鄉長主持討論（因二等兵係當事人不便主持會議請郭鄉長主持），經與會鄉長討論仍依據九十六年團拜大會通過：自第十一屆起決議理、監事任期三年，由是二等兵祇好免為其難續任一年至九十七年底，九十八年團拜大會改選之。

前述二年來因限於人力財力未能有效服務鄉親，其實會務工作人員還是做了不少事，如：總幹事胡士勳鄉長於九十六年八月十四日於召開十一屆臨時理、監事聯席會議時，提出協助劉時華鄉親委託處理其父劉獻言鄉長在台遺產之繼承及骨灰領取送回南昌，由劉時華領回之腹案，經會議決議，由胡總幹事全權負責辦理，胡總幹事，即於八月廿二日函葬儀社協助請其前往樹林忠靈塔辦理領取骨灰及遺產支票台幣三八三、〇〇七元，金戒子一枚重一九、八公克，並送往三峽鎮白雞榮家照相存證，出具領據貳份，立切結書，保證負責將骨灰、遺產送交委託人，爲此胡總幹事乃於九月廿三日由桃園機場搭機飛抵南昌將骨灰交由其子劉時華攜回安葬，且於九月廿四日上午劉時華鄉親至胡總幹事侄兒家，將遺產款及金戒子（除扣除機票錢外）如數點收，圓滿完成此項任務。又財務組長張以薰鄉長在同鄉會經費短缺之際，想盡辦法使之達到收支平衡。還有白志琴、歐陽克沛鄉長爲編輯泰和文獻、盡心盡力。於此對以上諸鄉長的辛勞表示由衷的感激。

今九十六年七月三日二等兵偕拙荊蔡素蘭、小兒傳楷，自桃園中正機場搭華航班機至香港轉乘中國東方航空公司飛機抵南昌，回泰和省親，往年家母健在時，每年都回去一趟，去（九十六）年四月四日先妣仙逝，傳楷因在學未克返鄉執紼盡孝，今年特此返鄉謁祖掃墓，向奶奶叩頭。傳楷是第二次返鄉，第一次返鄉是在讀小學三、四年級，時隔十多年，對家鄉印象模糊，體念不深，爲讓他對鄉土有更深的認識。正平、正芬、正泉、夏雲、夏雨、峰峰、攀攀等家人親切引導介紹村莊四週環境，並至鄰村菓園參觀；少平、秋英暨村書記劉永光先生設宴款待，僅此申謝。七月五日正平包了一輛休旅車，由人伍、正平、正泉陪同到泰和縣城走了一趟，城內的高樓大廈，一年比一年多，街道整齊，馬路寬廣，發展迅速留下深刻的印象，我們從友誼新城到南門新村探訪如玉姪女，她是我最尊敬大哥人傑的唯一掌上明珠，小時候因家境清苦送給鄰村做童養媳大陸環境變遷後與郭顯祥先生結婚，生有四子，都很孝順，且各有成就；長子啓仁現在廣東韶關市油嘴廠任車間主任，次子啓生居住泰和縣城友誼花園經商，三子啓平任職泰和縣工商管理局副局長，么兒啓明住南門新村，現服務泰和縣白鳳賓館任廚司長，中午在啓明家用餐，啓明太太親自做了一桌豐盛的佳餚，正用餐中啓平亦趕來了，一桌十幾人，飲酒聊天，談笑風生，樂也融融；餐畢到泰和縣唯一的歷史文化景點「快閣」參觀，據說「快閣」建於宋朝，宋神宗元豐四年，黃庭堅任泰和縣任時，刻有碑文：「爾俸爾祿，民脂民膏，下民易虐，上天難欺」他公餘時常登「快閣」觀覽，並賦詩一首，描述其心境與景物之盛，其詩云：

癡兒了卻公家事，
快閣東西倚曉晴。
落木千山天遠大，
澄江一道月分明。
朱絃已爲佳人絕，
青眼聊因美酒橫。
萬里歸船弄長笛，
此心吾與白鷗盟。

由因黃庭堅縣任「快閣」詩一出，使「快閣」之盛名，更遠播遐邇。但令人遺憾，卻來得不是時候，快閣大門深鎖，有門雖設而常關的感覺，無法入內參觀，外窗破損，四週雜草叢生，有待加強維護管理。

事有湊巧，快閣上空忽然有一群家鴿盤旋，自由自在的飛翔，不久就落在閣頂上休息，一會兒又飛走了，不由得想起了一趣聯，其上聯是「泰快閣，鴿飛閣，鴿落閣，鴿飛閣不飛」。如鄉長們有興趣，不妨讓腦神激盪一下，下聯求教諸位鄉長請對上一對，答案就在鄉長們的心中。

《泰和文獻》第十四期，民國九十六年（二〇〇七）三月十一日

二等兵理事長三年感言

首先恭賀　各位鄉親

身體健康；萬事如意！

三年，三年的時問對二等兵來講是漫長的，回憶，民國九十五年，二等兵在綁鴨子上架式被選爲泰和縣旅台同鄉會理事長，這段時間，除感謝各位理、監事經常提供鄉親的活動訊息，及每次理、監事會議的建言，對二等兵的鞭策指導提供卓見，俾使會務工作順利推行，在這裡二等兵尤其要謝謝會裡的工作鄉親，如，總幹事胡士勳鄉長歷次開會的會議資料都非常充實齊備，很有內容，尤有甚者，對鄉親的服務，如婚喪喜慶、住院……等，只要他知道或任何鄉親告知，都會迅速通知二等兵，路程近者，即時踵足道賀、慰問，外縣市路程遠者，亦以電話表達祝賀、慰問之意。在這裡要特別說明：因會裡經費短拙，所謂道賀、慰問多以精神爲主。另今年四月十日泰和縣廖縣長曉軍先生抵台參訪，因未接獲泰和任何單位告知四月八日下午傍晚由中華民國江西省旅台同鄉會總會長黃玠先生電話告知二等兵後，即刻連絡總幹事胡士勳、常務理事歐陽克沛等，四月十日上午十一時出二等兵、胡總幹事、張寶玉、歐陽克沛常務理事至桃園中正機場接機與廖縣長晤面，本擬安排請廖縣長與各位理事餐敘，奈因廖縣長係隨吉安市訪問團來台參訪，行程皆由吉安市台辦安排。行程非常緊湊，沒有時間，深爲遺憾。財務組長張以薰鄉長，三年來在會理經費拮据的情況下，用盡心力，想辦法籌劃使會務工作一件一件順利完成。白志琴、歐陽克沛鄉長負責編印泰和文獻，因鄉親多年高德劭未便提筆作文，稿源欠缺，仍能如期編印出版，且內容頗有深度，寄達給每位鄉親。

依據泰和縣旅台同鄉會組織章程，第二條「本會以聯絡同鄉情感，團結同鄉意志，發揮互助合作精神，增進社會建設與繁榮，謀求同鄉福祉爲宗旨」。二等兵接任泰和縣同鄉會理事長三年，每年主持召開大會暨新年團拜，也許會員多以年屆古稀體力一年不如一年，行動不便，年輕的鄉親又爲上班上學打拼，抑或二等兵資歷淺薄，每次到達的人數不勝踴躍。記得，二等兵小時候聽先父爲楷公講一個民間故事：「從前有一位老者有兒子五人，因彼此意見不合，經常爭吵老者年邁得了重病，有一天老者拿了一大把筷子叫五個兒子到跟前，先給每人一根筷子，叫他們將筷子折斷，很快就一一的把筷子折斷了，然後又給每人兩根筷子叫他們將筷子折斷，也很快就折斷了，再給每人一把筷子叫每人將筷子折斷，這次每個人費盡很大的力氣都無法折斷，這就是團結的力量。」因此，二等兵由衷地呼籲各位鄉親，盡量撥冗參加同鄉會各項活動，因爲，這是我們泰和縣鄉親在台唯一的活動園地，需要大家來維護深耕，參加同鄉會的活動可以增進彼此的認識，建立感情，促進互助團結，俗云：「團結就是力量」，我們無意與人比力量，但最低可在工作生活上互相照應，年輕的鄉親更可以藉此相互砌磋發揮團結合作的精神，創造自己的前途事業，進而服務社會。

二等兵接泰和縣旅台同鄉會理事長三年，自我反省檢討，的確心有餘而力不足，乏善可陳，不過在這三年即將屆滿的時候，要以十二萬分的誠意感激每位鄉親的愛護與鼓勵，因二等兵才疏學淺，對會務工作做得不夠理想，有負鄉親們厚望，謹此鞠躬致歉。

《泰和文獻》第十四期，民國九十七年（二〇〇八）二月二十三日

浮生憶往：七年六個月

七年六個月的時間，在人生的旅程上不能算是漫長，但也不算短。以有關單位的調查統計能活過十個七年六個月的並不是人人都可以。今天提出這個數字的由來，是我在軍中祖任一個職務，住一個房間，睡一張床七年六個月的時間，軍中有句俗話說：「鐵打的銀盤，流水的兵」。而我卻是罕見的例外，真是時也、命也，夫復何言!?

民國五十（一九六一）年元月我剛晉升上尉，謝謝長官的抬愛即時調升營中隊指導員（後來改稱輔導長）佔少校缺，直到民國五十七（一九六八）年七月離職。

在七年六個月經過兩位隊長，第一位是河南人，姓何個子比我高一點，應屬矮小型，文筆很好，對小部隊戰術較有研究，個性剛直，對上級長官沒有兩把刷子是不容易讓他誠服。隊長的編階是中校，他任隊長兩年沒有升中校，原因是黨籍資料原單位記載不甚良好，我到差後與他閒聊中他告訴我這個訊息，隔星期我到總支黨部林秘書瞭解實情後我向林秘書報告：他在隊上帶兵的狀況及個性、學識、能力，林秘書聽了我的報告覺得很同情，於是我們私下將轉來的資料置諸高閣暫不運用，第三年即升中校，（我沒有將這件事告訴他）不久調升總隊部參三科長負責全總隊的教育、訓練、作戰計劃之策定。我們相處近三年的時間非常融洽，他對我的工作信任有加；有幾件事情提出說明如下：一、我到差的第二個月，大隊部召開區黨部委員會，輪到我隊（區分部）提出軍政措施報告，往例由參三作戰部門根據參一、二、四，政戰提供資料綜合撰寫，何隊長為考驗我的文筆特別指示由指導員（輔導長）執筆撰寫，我因報到才一個月，對隊裡狀況很多不甚瞭解，但又不便拒絕，於是勉為其難就依據各部門所提資料加以整理、分析、研判而完稿呈核，當時以為會退稿重寫，出乎我的意料祇僅改了三個數字而過關，從此以後我寫任何文件都順利通過，未曾有退稿之情形。二、古人說：「上等人有本領沒有脾氣，中等人有本領有脾氣，下等人沒有本領脾氣很大。」何先生應屬中等人，他的個性剛烈企圖心很強，鄭上級檢查、比賽只要第一，沒有第二。有一次總隊依據年度訓練計劃舉辦行軍比賽，其業務是參三負責，比賽的計時準則是以單位的最後一名到達終點計算。何先生指定我率領四位副分隊長（政戰工作同仁）斷後，督導協助落隊官兵趕上部隊，爭取時間，創造成績，可能出乎意料想不到在行軍途中，我從隊後走到隊伍前頭再由部隊前頭走回到隊伍的最後，這樣來回好幾趟幫助體力較差官兵背槍。事後鄰隊隊長告訴我，他之所以這樣是看見我個子瘦小要考驗我的體力。三、司令部舉辦籃球比賽先由四個總隊初、複賽選出代表隊參加司令部決賽；當時體育業務是由政戰部門承辦（後來才歸參三負責），我隊參加總隊初、複賽，指定我領隊，第一場初賽輸了球隊教練球員個個怕隊長罵嚇得臉色凝重難看，我為鼓勵士氣，先向何先生報告不要罵大家，由我負責第二場以後贏回；然後我帶領教練暨全體球隊員到龍潭洗熱水澡、餐館吃飯，同時說明第一場輸了不要洩氣，以後還有幾場比賽可以贏回來，大家聽了我的話個個士氣高昂，最後奪得總隊冠軍。四、每星期例假依據上級規定須週日晚上九時點名前收假，何先生以身作則八時前回隊，拿把椅子坐在隊部集合場；有次有一、兩位士官兵可能因搭公車未能按時歸營，他即叫到隊長辦公室責罵，如果答覆時態度欠佳甚或頂撞，他就拿椅子後面的竹棍子打人，爲此上級長官一再要我設法勸阻他不要打罵，這是國防部以下上級長官三令五申絕對禁止打罵體罰，我爲了貫徹上級命令規定，左思右想想不出一個良好方法，有一天我閒坐靜思時，忽然似有靈感提醒我不可面對面勸他，打罵是違法的他一定不高興、不接受，把場面弄成難看，甚而影響我工作推展，不如笨人用笨辦法將他辦公坐椅後面的竹棍子拿掉，同時告訴他的傳令兵說，隊長若問竹棍子怎麼不見就說輔導長拿去了，我之所以這樣做，我想他是聰明人一定知道是勸他不要打罵，並且我從那時開始注意他辦公室的動靜，祇要聽到他在辦公室大聲吼叫，我即刻趕到他辦公室情問什麼事交給我來處理不好再簽呈給隊處分了，就這樣根絕了打罵。五、我們二大隊有四位隊長經常輪流作東到營福利餐廳，喝酒聊天，某日他們在福利社喝酒時不知爲何事五、七隊長發生爭吵，七隊何先生火爆回到隊裡拿了一把手槍（那時規定隊長可以帶手槍放臥室）追五隊隊長，傳令兵見狀緊張跑回隊部告訴我即刻跑出外面欄阻將他手上的槍取走交給軍械士保管，免了一場鬧劇的發生。第二位隊長是由副隊長陳××調升的，福建閩南人，小時候沒有讀什麼書，十幾歲從軍由二等兵幹起升到中校隊（營）長，曾參加抗戰、戡亂等戰役，屬於苦幹實幹型的幹部，脾氣很怪，平時除了工作與友隊沒有交往；在這裡我要特別說明的是整個特種部隊（後來改為特種作戰部隊）組織編制是以省籍為對象編成司令部轄屬四個總隊，每總（師）隊轄三個（團）大隊，每大隊有四個（營）中隊，如我二大隊七中隊全員是福建省人，僅有何先生擔任隊長時為了便於掌握官士的動態，由某師調來四位海南島籍士官加上我江西籍共有六位非福建省人。我到隊裡發現內部分閩南、閩西、閩北派系形成矛盾，經常為了請假埋怨隊長對閩南人有偏心而彼此爭吵，我為部隊團結向陳隊長報告，建議當月的隊榮譽團結會，他不要參加主持，由我來主持並且授權我批示士官兵的請假單，因我不是福建人士官兵不會懷疑我有私心，陳隊長聽了我的分析即時同意我的建議，我得到陳隊長同意授權後，在榮團會宣佈奉隊長指示他因公務很忙，今後士官兵請假由我批示，就這樣化解了士官兵之間裂痕，促進了部隊和諧團結。陳先生擔任隊長四年多時間參加了多次的演習訓練及接受檢查比賽：

一、北山演習（山地行軍野外求生）：這是全特種作戰總隊分梯次，全副武裝每人背著米袋飯盒及副食費，從關西山區行軍，每天的鐥食全由個人自行處理，早、中、晚餐規定時間，自己用隨身帶的飯盒在野地煮飯，除隊長由傳令兵煮飯其他幹部都各人自己煮飯，如果自己不能在規定時間煮好飯菜那就餓著肚子，我因小時候在家經常幫助母親煮飯菜，所以在二十幾天的行軍還算順利沒有餓肚子之情事。在整個行軍過程中爬過鳥嘴山、馬五度、合歡山、環山、梨山、玉山、阿里山、能高山等，在花蓮銅門時屬冬天並逢下雪，我們到達能高山因水壺裡的水喝完了，口渴時我看見樹上結的氷溜子十分清澈便摘來含在口中解渴，那裡知道這氷溜子是最不清潔不衛生，因而在行軍途中時常鬧肚子痛，待行軍結束回到營房即至三軍總醫院照 X 光檢查、醫生說是十二指腸潰瘍。

二、蛟龍（海上滲透訓練）：據悉是國安局配合反攻作戰計劃指令司令部選定福建隊編成四個作戰分遣分隊，每分隊含作戰、破壞、醫護三組；司令部指示由第二作戰總隊負責編成，總隊指定我們第七營中隊，挑選優秀官兵五十六人編爲四個分遣分隊，由隊長率領參加訓練，基地沒有固定首在林口海邊寶斗厝，第一階段租了四艘漁船，後來上級購置四艘橡皮艇，由海軍蛙人隊派員指導橡皮艇操作，包括充氣、頂艇、翻艇、倒艇等技術，晚上實施夜間教育，教官指示目標即經緯度，每天下午七時由登陸艇或大型漁船將我們載至外（公）海放下，我依據指定的經緯度尋找目標。第二階段爲上級派遣蛙人隊爆破教官教導各種軍事設施的破壞技術，包括硬體軟體。第三階段爲由上級派來教官教授滲透、反間、生存、組訓、心戰傳單製作等技倆。第四階段爲上級擬定各種狀況，遠海用大型漁船將我們載到外（公）海放下，由我們自己操作橡皮艇至海岸登陸滲透到內地，近海（距離海岸二〇〇〇公尺）則自行游泳至海岸實施滲透至目標，應作各種狀況之處置，這是整個訓練成果驗收。記得在最後階爲我們離開寶斗厝時天黑沒有月亮，艇與艇之連絡全靠無線電話，目標是宜蘭龜山島，因海浪在八級風，在離龜山島約一千公尺的水流是漩渦式，俗稱黑水溝，我們必需通過始能到達目標地，如果一不小心，橡皮艇即被捲入漩渦而遭滅頂，可謂險象環生，好在隊裡的成員多是福建沿海人，未當兵前在家鄉是漁民，對水性很熟悉才順利通過到達龜山島；在訓練全程中從寶斗厝至左營、小琉球、東港等地，沿途均沒有各種狀況，規定每天深夜行動白天休息，此謂顛倒訓練。最後一天是突擊，由左營搭乘漁船到外海，距岸約二〇〇〇公尺，每人以水壺、籃球等為工具，遵照上級指示的經緯度實施渡海尋找目標突擊。我是旱鴨子不會游泳，但身為隊裡輔導長，全隊官兵都下海，雖然奉大隊長王家泰（已逝世）親口說：我不要下海，可是為了日後在隊上工作之推展，我還是抱了兩個籃球跳下海，跟隨部隊後面慢慢地游，被王大隊長發現當場在海上便罵我：「不聽命令，你不要命，想給我們帶來麻煩。」非常慶幸，算我的命大，終于游上岸跟上部隊處置政戰狀況。

三、年度游泳訓練，每年七、八月部隊輪流至竹圍、南寮、後龍、通霄等地實施兩週海上游泳訓練，某年我們輪到南寮基地訓練，當時基地指揮官是二總隊副總隊長朱英將軍，某日實施夜間游泳訓練，按訓練計劃白天都在海上由教官指導並負責安全，夜間則在內港由隊上指派熟悉游泳人員，指導游泳技術較差的官兵，我因不太會游泳跟在朱先生後面鴨划水似的慢慢游，朱先生見我游泳技術差而忽然將一個橡皮圈丟到我身邊當時我心理十分感動，因爲以前我沒有追隨過他，可說根本他不認識我，在黑夜他不知道是誰竟然對部屬的安全如此關心。此謂帶兵要帶心，大概就是從平常小的地方表現做起。金剛經裡告訴我們不論做任何事要無心無相，我想朱先生帶兵打仗，弟兄一定會賣命衝鋒陷陣打勝仗。卅八年我入伍隨部經過信豐三南、梅縣等地，在信豐時遇上敵人打了一天一夜的仗，那時我是副連指在戰場上沒有看過如朱先生這樣愛護部屬的長官。

四、當選基層政戰模範單位，即現在的莒光連隊；某天吃過午飯大家都在休息，傳令兵走進我的寢室叫我說：國防部有位中校找，我起床還來不及穿外（制服）衣，這位中校已到我房間，我馬上說對不起我剛睡午覺未能穿好衣迎接請原諒，這位中校說沒有關係，我就是要突擊檢查，看你們部隊的實際情況也不要告訴你上級，同時坐在我的辦公桌傍（我的辦公室與臥室是同一間）

問部隊官兵的教育訓練、士氣、福利等情形，我都據實一一答覆，同時叫值星官報告隊長緊急集合官兵，這位中校聽我對部隊的狀況報告及看完相關的業務資料，即到集合場指唱幾首軍歌，演練莒拳，抽問官兵有關隊長和我平時的一切情形，並要求參加晚餐不准加菜。根據這些資料我個人五十四年當選第第三屆國軍政戰楷模獲國防部頒發獎狀一紙，純金牌一座。

五、一件荒唐事，（詳細時間忘了）有一天大概是星期五下午四點多鐘，突然接到司令部第三處某參謀的電話說：你們第七中隊中籤明天早點名時間國防部測驗莒拳，當時我接到電話有感驚天霹靂，天啊！隊長到步校高級班受訓，副隊長也不在，真是山中無老虎，猴子充霸王，輪到我這個三號人物來負責，我即刻向大隊，總隊部反映，並緊急集合部隊宣佈任務，未經思考向部隊說明這次莒拳測驗的重要性，祗有第一名，沒有第二名，同時宣佈如果測驗獲得第一名全隊放假三天，當天晚上點完名，官兵就寢後深夜我到官兵寢室查鋪（這是每天的例行工作）發現寢室一個人都沒有因我而驚慌，再到營區大操場一看原來是在夜間個別教育，一個分隊、一個分隊在練習莒拳動作，使我十分感動，覺得這些老兵之可愛，第二天早點名由司令部、總隊，大隊六、七位長官陪同國防部測驗官來到隊集合場下達命令後再由隊星官指揮，先是分解動作再是連續動作，測驗完當場計算成績，我們是全國第一名，早餐後值星官向我請示是否宣佈休假，「君無戲言」我代理隊長親口向官兵宣佈的當然話無法收回，要值星官宣佈休假三天；當天晚上總隊長召見問我憑什麼宣佈放假三天，你有權嗎？要記你們過，我回答說：報告總隊長真要記我的過，我無話可說，不過我希望這樣的「過」多幾回，總隊長聽了我的報告馬上莞爾一笑。這件事到此為止。但是我自己檢討若非總隊長善於帶兵；否則我應該受到處罰，豈不是荒唐事一件。

基層政戰工作，千頭萬緒，除了本身的業務，最重要的是協助主官做好領導統御，促進部隊的團結和諧，我任基層政戰逾七年，全隊沒有逃亡、自殺、違紀犯法等傷害單位榮譽的情事。我自報到即抱定除跟隨部隊生活操課，也關心主官的作風，看其對官兵領導統御缺少什麼我便幫助他。如，第一位隊長能力很強缺少與官兵溝通，以致官兵害怕，下情不能上達，產生打罵等情形，我除了設法預防打罵，並處理與官兵不愉快的事情。第二位隊長因年幼未能接受良好的教育，在知識方面較差，但他有豐富的作戰經驗，肯與官兵打成一片，我則盡量宣揚他的優點來遮掩他的短處，樹立在部隊的威信，換句話說主官強我則柔，主官柔我則強，簡而言之，主官在領導統御上缺少什麼我則協助他什麼。

《泰和文獻》第十七期，民國九十九年（二〇一〇）二月廿七日

我從憲兵到黃復興

我是民國七十三（一九八四）年三月七日接憲兵司令部主任張將軍的電話希望我接政二組長，國防部命令很快就到，第三天接到總部命令要我一個星期辦理交接，三月十五日憲令部來車子接我去報到，當我報到時主任說你接政五組長，我說不是接政二組長？張主任說接政五組我沒有說什麼，由傳令將簡單的行李搬到政五組。到達政五組聽取各參謀的簡報瞭解狀況，政五組每年預算貳仟多萬元，憲光藝工隊參加年度藝工競賽要花費一千多萬元，尚餘不到一千萬元包括年節慰勞、慰問，官兵急難救助每年錢都不夠，我瞭解情形後向主任面報你要我接政五組是想辦法找財源，我說節約是消極的、開源是積極的，主任有什麼指示，他聽了猛點頭說你有腹案？我說以目前情形政五組能掌握的祇有營區福利站一個月收入不到十萬元，扣除水電及成本實際利潤微乎其微，必須設法另謀財源；主任說除福利社之外還有什麼辦法、我說我們可以做的是麵包廠，他說這要資本我們有錢嗎？我說沒有錢，但是窮則變，變則通可以想辦法，他說那你寫個案來看看；我從他辦公室出來即時召集組裡參謀開會宣示我和主任討論經過，傾向成立麵包廠構想，並指示張參謀負責探訪做麵包的過程和購置相關機器要多少錢寫個計劃呈給主任先看一看，確定可以後再簽呈司令批示。在司令未批示以前我與承辦參謀先向主任簡報通過並向司令報告，司令、主任聽過我們的報告都異口同聲說很好。可是大家都說有錢沒有，最後我說資本我們想辦法，要求賣機器老闆等我們（半年）麵包收入後再付款，只要主任、司令批「可」就可以了。我們向主任、司令簡報以後大致定案了再召集相關部門（單位）開協調會請副司令主持，請求人事處支援人力六員，後勤處支援廠房車輛汽油木工等，然後簽案會稿呈司令批示。我和承辦人帶領支援的六人至某麵包廠參觀做麵包的流程，再請教麵包師傅機器的公司、機器的廠牌。同時以個人的關係將六個人留下做義工三個月的是學習做麵包。三個月六個人回來我向主任報告應該給他們實習一個月大家認為可以再正式營業。六月X日開政戰會報我向與會人員提報各營區福利社以後一律進我們自己的梅荷麵包，自從麵包廠成立後價錢比原來的便宜，每個月收入淨利廿萬元，就在麵包廠工程進行一半，主任某日找我說司令部希望福利社成立飲食部，這比麵包廠還難辦，因爲憲兵的兵源是新訓中心挑選高中以上程度且家世清白，因此要能熟調主廚的人是很困難的，再說餐飲部不像麵包廠單純，但主任一再強調是司令的意思我們不便拒絕，使我無話可說：「軍人以服從命令爲天職」，我祇好再要承辦參謀簽案協調有關單位，如人事處支援五個人弄至英雄館商請以義工方式學習烹調炒菜，同時請後勤處支援木工改裝飲食部的硬體設施，三個月後在英雄館學習烹調炒菜的人回來開始營業，初階爲不理想，二個月後菜餚的色香味進步很多也獲得營區官兵的好評。

我在憲兵司令部不到兩年。民國七十四（一九八五）年六月X日接到黃復興黨部書記長黃威中將給主任張將軍的電話要我提前退伍，主任將黃先生的話轉達給我，我立即寫了退伍的報告呈給主任，主任將報告交給人事處辦理，人事處說我退伍要國防部批准，公文的旅程須時三個月，所以到十月一日我才正式退伍到黃復興報到；三個月書記長要我去革命實踐研究院受訓，受訓回來接到上級交辦兩個案：第一、計劃訪問台北所有小組長，台北有二千多個小組，需要動員黃復興（除總幹事以上人員）所有幕僚兩人一組四個月完成，並規定每天晚上七時去訪問先以電話連絡，我與萬先生一組（萬先生現在中央黨部社工組副主任），有一天我們訪問到第二殯儀館後面山的背面住了約一百多人，多是士官退伍沒有工作到殯儀館撿骨，他們住的房子多數是棺材板搭的牆；看到我們去都跪在門口歡迎，當時把我和萬先生嚇了一跳，問明原因說他們都是當年退伍下來找不到工作才在這裡以撿骨賺一點錢過生活，住了廿幾年從來政府沒有人去看過，這次我們代表長官來看他們，他們感到非常的榮幸。還有某天下大雨我一個人穿了雨衣來到萬大路訪問一位張先生我敲門，雨下得很大我站在門口，張先生開了門沒有出來，隔看鐵門問我做什麼的，我說代表書記長、主任委員來拜訪張先生，他說你們主任委員ＸＸＸ是我軍校的同學他不來看我你來也不帶東西，我說他們很忙沒有時間來，我淋著雨站在外面，最後我看見客廳掛了很多書法，我說張先生這些書法好像王羲之的字，他聽我說很高興開門讓我進去，講他寫字的歷史。第二，編寫一本榮民互助組手冊。書記長鑒於榮民照顧榮民之精神，促進榮民團結互助，每組三人至卅人編成為原則，其實施方式，聯繫訪問、生活互助、工作互助，疾病照顧，糾紛調處，權益維護，協助申請福利品購買證；為何做，誰去做，向誰做，到什麼地方做，更詳細具體的作法寫成一本手冊。在我成立麵包廠某副司令（老憲兵）曾調侃我說蕭組長你有幾個老婆，以前某主任（已升上將）都不敢成立，你這麼大的膽成立麵包廠，所謂事在人為，我很高興把麵包廠成立營業，某副司令見到我說看到麵包廠就想到你。憲兵在帝皇時代是維護權力中心的錦衣衛，現今是軍中警察，兼有司法警察的功能。黃復興是民國四十五年成立的，至今已五十多年，每次選舉是國民黨的鐵票，貢獻良多，不過過去部份幹部耕耘不力致失職黨員很多，是今後要努力的地方。

《泰和文獻》第十八期，民國一〇〇年（二〇一一）二月十三日

黎明八年

民國七十七（一九八八）年春節後，某日接到黎明文化事業股份有限公司總經理張將軍的電話：邀約我到他公館，我按時赴約中午在他家用餐，談起他在黎明任總經理，我即刻表達祝賀之意，他接著我的話說：「你到我這裡來好嗎？」我當時以爲客套話而未加考慮回答「好啊」！就這樣決定了我在黎明八年，同年三月一日我從黃復興黨部到黎明報到，總經理告訴我先到台北分公司任副理，並說先坦任副理熟悉分公司的業務明年接經理職務，隨即我向台北黎明門市報到，在我報到的同時回想從軍卅幾年對做生意是外行，俗云：「隔行如隔山」，以前在軍中最不喜歡的是管錢和數字打交道，今後每天要和數字爲伍，真是命運造化弄人。到達台北門市看見書架上的幾萬本書，「一個頭，兩個大」在門市經過兩位前任經理的輔導，自已利用空閑的時間走訪左鄰右舍請教先進，慢慢知道文化事業與一般商店有很多不同的地方，同時發現黎明門市的裝潢燈光太暗，書架的書太少浪費空間，店員對顧客的服務態度有改進的必要。根據在軍中當副職的最好少講話，我發現這些缺失記在筆記本。民國七十八（一九八九）年元月正式接任經理職務，第一件事即簽呈門市的裝潢，總經理批准即找室內裝潢公司設計，招標議價，六十萬元於三個星期完成。動工兩個禮拜，總經理帶賀中將來看工程進度，賀中將見了我回頭：「整個工程多少錢有沒有預估多少時間可以回收」，我回答「總計裝潢六十萬元，預估三個月內可以回收。頃工程進度按計劃進行元月底完工。二月重新開張營業，根據會計的月報表五月底六十萬元已回收。在施工期間幾度集合員工開會，聽取大家的意見，同時將我的意見向大家宣示：一、對顧客要有禮貌買書結帳要說謝謝，二、幫顧客找書，如果實在找不到要說抱歉書賣完了，你如果確定要可以先付訂金我們向出版商進書三天內打電話或郵寄給你，再說對不起；三、上下班不得遲到早退；四、營業副主任以上幹部要熟悉每家出版公司出版書的方向（如文史哲出版社所出版的書是以文學、歷史、哲學類的書，全華所出版的書是科技類書）；五、將書架編號劃分責任區，每天上班即擦拭乾淨並補齊缺書。黎明公司是民國六十年（一九七一）政府因大環境處於戰爭狀態爲實施文化作戰，由國防部負責籌資成立的，所有員工亦由國防部挑選，總政治作戰部第二處副處長田原擔任總經理，店員多是各級長官介紹，門市經理管理非常困難、規定上午九時上班，下午六時下班，晚班輪值23點結帳下班，可是大家都不守時早上十點鐘還不到齊，下午五點多鐘一個一個溜跑了，經理無法管理，我到差後實施簽到由副理負責，同時我站在大門口看著每個人上班的時間，若超過九點鐘即在門口問爲什麼不守時遲到，下午下班我亦在大門口若有未到下班時間下班便問爲什麼提早下班？這時大街上來來往往的人很多有些好奇的會走過來看什麼事，是時他的臉會掛不住，一個月的時間把這些不良習慣導正過來，因此門市的業績明顯提升。以前每日的收入最高五、六萬元提升到七、八甚至超過十萬元。黎明總公司賦予年度的目標淨利是五百萬元，根據會計呈報總公司核復的年終報表是五百八十萬元並獲總經理給的獎金五千元。我同時請求總經理准予公休五天假我率領員工（自由參加）至香港旅遊並至國父家鄉

（翠亨村）遊玩。在這裡我要特別報告兩件小事：（一）某日有某大學教授到台北門市問店員（是工讀生）知不知道春秋左傳他要買，店員回答不懂，那位教授馬上罵說你們開書店連春秋左傳都不知道，這時我正好在傍邊我說先生不要生氣，春秋左傳有五傳除左傳還有穀梁傳、公羊傳、鄒氏傳、夾氏傳，鄒、夾兩傳東漢時遺失了，現有是春秋左傳、穀梁傳、公羊傳，你要左傳我們書架上缺貨賣完了，你若不是急要三天後我一定有，那位教授不再講話。（二）又有一天一位退伍的老先生走進店便罵三字經說我要買一本「揚州八怪」都沒有，我聽了後，很客氣地說你要「揚州八怪」現在沒有書，你拿訂金留下電話三天後我們電話通知你來拿書，因此告訴所有的員工說如果重慶南路買不到的書到黎明買，以示黎明的品牌。

時間過得很快一晃到黎明八年，台北門市五年除了負責行銷圖書；民國八十一年奉總公司指示調營管部經理負責公司圖書印刷出版行銷業務，在營管部三年除了出版行銷，曾參加香港、新加坡等地國際書展，並奉新聞局指示負責率領新學友、紅螞蟻等十幾家出版公司至英國倫敦參加國際書展。於民國九十年隨台北市出版同業公會至北京參加國際書展及走訪西安、成都、南京、上海、杭州、長沙、桂林、廣州、南昌、福州、廈門等地區出版界，同時參加福建文化出版局新廈落成典禮等活動黎明退休後參加社團活動。

《泰和文獻》第十九期，民國一〇一年（二〇一二）二月五日

忍辱負重的張良

「運籌於帷幄之中，決勝於千里之外，吾不如也！」這是漢王劉邦在他戰勝項羽統一全國做了皇帝以後舉行慶功宴中封賞功臣對張良的讚語。我們從漢王這短短的幾句話中可知張良對漢朝的統一的貢獻及其個人的才學與成就。

大凡一個人的成功必有其成功的條件，張良他之能有如此的成就，亦同樣有他的成就的因素，現在僅就個人對張良從書本中知道的略述之。張良號子房，生於二千多年以前，是戰國時代的韓國人，他的祖父叫開地，曾做韓國昭侯，宣惠王和襄王等三代的宰相。他的父親名叫平亦，曾做韓國楚王和悼惠王兩代宰相，所以是歷史上說的上代「五世相韓」。

他的父親死於韓悼惠王廿三年，死後二十年韓國便被秦國所滅，這時張良年紀還小，沒有替韓國做事，但他非常聰明、讀很多的書，所以，愛國心切，當時看到國家被人滅亡，痛心萬分，日日夜夜總想替國報仇，所以遍處尋士，不惜花去家庭的全部財產來爲國報仇，後來歷史上記載的「滄海公」謀刺秦王即是張良用重金尋求的一位勇士。

張良自「滄海公」刺秦王未成，爲了暫時避過風頭，即開始他的流浪生活，改姓換名，在下鉀的地方隱居，但他並未因此放棄他爲國報仇的志願，相反地，他更爲報國仇發憤讀書。

有一天，他在讀書之餘到附近田野中散步閒遊時，走到一座橋邊，忽然看見一個穿黃衣的老人緩緩走過來，不知怎的老人的一只鞋子竟掉落到橋下去了，但這位老人卻並不自己下橋去取，而老氣橫秋的命令站在橋旁的張良說：「小子，下去替我把鞋了取來。」老人這種突如其來的不禮貌行動使張良不禁愕然，心想真是豈有此理；但一轉念間覺得他畢竟是一個老人，於是便忍著怒氣，走下橋去，把鞋子取回來，正待走過去，卻不料那老人又以命令的口吻說「替我穿上。」張良本想發作，但再一想，既然已經替他下橋取了來，何不做好人做到底？索性遵命跪下地去，準備替他穿上，而那老人竟把腳一伸，若無其事的任由張良穿上，既不道謝，也不問一聲姓名，便掉頭笑笑走了。

張良當時被這老人奇怪的行動所怔住了，正思潮起伏疑神疑鬼，目注著他遠走了，卻不料他走上里許，忽然返身走了回來，大聲命令張良說：「你這小子已經可教了，五天後的清早，等在這裡會我。」五天後，張良遵命起個大清早，到那橋畔去會老人，哪知老人早已等在那裡，見了張良劈頭便罵「與長輩約會，怎麼反而遲到？去，五天後再來！」五天後，張良去得較前更早，但是老人依然比他早到，這一次，可罵得更兇了，但還是要張良再過五天來會，再五天後，張良不敢怠慢，半夜便去橋畔等候，可是只一會兒老人也到了，張良連忙拜伏恭迎，老人滿臉笑容連聲嘉許：「這才對了！這才對了！」話聲中從懷裡抽出一書交給他說「看你上次為我取鞋、穿鞋，能夠忍氣耐性，知你可以造就，所以特送你一部奇書，你現在正年富力強，應當勤奮向學，如能熟讀這本書，十年後必能輔助領袖，完成王業，好好努力，切勿負我。」後來果真應驗，輔佐漢王高祖完成霸業。

從以上所述說明張良在其未輔佐漢王以前的勤奮忍辱，實非常人所可比擬，由此使我們不難知道一個人的成就必須靠自己的努力，而非偶然，天下沒有不勞而獲的果實。

《泰和文獻》第十三期，民國九十五年（二〇〇六）二月十八日

先考爲楷公事略

海闊無邊，洋深無底；歷史的烽火把我們分離。我踽行張望，我孤煢遐想；我哭泣！我流淚！父親啊！就這樣我們永別了！嗚呼！哀哉！悲淒！悲淒！

民國三十八（一九四九）年春節後，某日人傑大哥從泰和回來看你，說縣政府召考電信人員，建議讓我去參加考試，二月某日你要我去泰和考試，考完一個星期放榜通知我被錄取，四月二十日是個風和日麗的日子，農夫們忙著插秧，你卻放下田裡的工作，挑著我的簡便行李，一步一趨，送我到馬家洲公路局汽車站，在路途上我們一邊走，你以從未有的那麼親切、充滿愛心的口吻說：「這次你一個人出遠門到贛州受訓，是爲了你以後的工作，約半年左右就會回來，在外面不比在家裡有我和你母親的叮嚀，自己要好好照顧自己，記得常寫信回家，使家裡的人放心。」一個小時的行程，說著說著，很快就到了車站，人潮把車站擠得水洩不通，一輛燒著木炭的車已停在車站（當時的汽車分為燒汽油車、燒酒精車、燒木炭車三種），我的車票是在馬市鄉公所任主任秘書的人傑大哥先一天買好了，我背著簡便的行李，流著眼淚擠上車，因人實在太多，我上車後就無法再看見你，九點鐘車子開動了，由慢轉快，就這樣我們分別了，永遠的分別了；傍晚六時左右，抵達贛州車站，隨即由部隊派來接引的人，帶著我們徒步走了一個多小時，到達通天岩報到。在贛州我們曾有多次通信，未及六個月，大環境的突變，我們失去連絡，我曾多次想回家，因身單無盤纏，且局勢混亂而跟隨部隊南遷，在信豐遇敵打了一天一夜的仗，我被衝散脫離了單位。一個人像乞丐，走了近一個月到達汕頭，我一個人孤單的在汕頭公園，忽然被旗山村為煌叔叔看見，叫我一聲，我回頭看見他，馬上跑過去抱著他，他問我怎麼一個人到汕頭，我將一路過程告訴了他，那時他是江西省保安團的一位副營長，他帶我到他們的部隊，不久我就隨他來到台灣。

父親在我的記憶中：一、民國三十（一九四一）年，日本侵略者在我國到處屠殺，日益瘋狂時，政府在美軍的建議，於遂川建造軍用機場，由泰和、萬安等縣徵調民工，你基於痛恨日本軍閥對我同胞的殘殺、掠奪等暴行，雖未接獲通知，而主動向保長登記，自願參加，於六月《詳細時間已不記得》，帶著母親羅太夫人準備的乾糧、換洗衣服，隨著大家徒步走了兩天一夜到達目的地，展開了一個多月的修建工程，完成任務後返回家門。二、民三十二（一九四三）年，日本鬼子由北南下，來到我們泰和，亦到我們家鄉。你為避免日軍的蹂躪，率領村裡大人、小孩，逃至靈岩寺山裡，因一片荒山，必須蓋建臨時住宅，你帶領年壯青年，披荆斬棘，未經一天的時間，搭蓋了須要的茅棚，大家先有安身之處，你又交代年輕人排班在住地入口處站崗，觀察山外的動態，預防日軍對我們的行動。三、村裡甚至左右村莊的鄉親都知道你的為人忠厚誠懇，樂於助人，你小時候曾習武，略知跌打損傷、腰痠背痛等疑難雜症的草藥，只要鄰近遠道有人找你，即刻到村子後面山上尋找草藥，無條件送給他們，再告訴如何烹調及需要禁口那些。四、村子裡任何人有困難，你總是想辦法幫忙解決；如：人本哥十幾歲的時候，想到廣東南雄學徒經商，沒有盤纏，你知道了。即時挑了穀子到白土街，賣了將錢贈送給他而成行到南雄學徒三年。又人傑大哥、人修二哥年幼失怙，你毫不猶豫負起扶養照拂到人傑大哥赴泰和讀書及娶第一位太太，二哥人修亦是到他結婚成家。另，對村裡祠堂原有公積基金（稻子），被不法份子私吞了，你知道了，在村眾面前予以揭發，因而得罪了少數人，解放後被部份不法份子挾私報仇、清算斗爭等……。由於你平時的急公好義，心地善良，獲得左鄰右舍、親朋好友的讚譽，而未受到過份的酷刑。

先考為楷公字質華，生於光緒（二十七）辛丑（一九〇一）年十月二十九日，一九六四年四月二十二日歿。天性剛直，從不貪財圖利，幫助過很多有困難的人，雖然一生務農，未受過良好的教育，識字不多，由於祖父有蘭公的家教有方，孕育了仁民愛物的秉性，畢生辛苦，家無恆足，僅為小康，我身為長子，在你離開人間的時候，不能見最後一面，能不遺憾終身。嗚呼！哀哉！父親！父親！

《江西文獻》第二二〇期，民國九十九年（二〇一〇）八月

先妣羅太夫人——三秀週年忌

蔚藍的蒼穹，皓潔的月亮，閃爍的星光、海天的深處；我疑神、眺望、沉思——故鄉啊！青翠的山巒，依舊美麗；碧綠的溪水仍然不停的向東流，祠堂前面百齡古柏，依然那樣的蒼勁翠綠。

啊！母親！一百零四個年頭，幾多秋月春風；幾多世態炎涼；清朝的軟弱無能，喪權辱國。

藍朝的推翻專制，創建共和，北伐統一，八年抗日，鬩牆腐敗，退居海隅。紅朝的清算鬥爭，三反五反，人民公社大鍋飯，土法鍊鋼，除四舊立四新，新三年舊三年縫縫補補又三年，紅衛兵造反（造反有理、砲打中央），四人幫，文化大革命。迄今的經濟改革，這些歷史的起起落落，恩恩怨怨你都親眼看見，而且親身感受。

一九八七年兩岸開放探親，我偕拙荊

蔡素蘭搭機飛抵香港，轉廣州乘火車至長沙包車直達家鄉，我們（母子）闊別四十年音信斷絕第一次相見！幾許期待，多少相思。一幕幕湧上心頭，在無語沉默刹那問不知不覺偎倚在你的懷中。模糊的眼睛，滲透滾滾熱淚，滴在衣襟上，滴在心坎內，這就是烽火中國下母子相聚鏡頭。海峽兩岸的親人，同時走過歷史痕跡，這個相見畫面，究竟不知道是喜！是悲！稍後我和素蘭雙腿跪在你的跟前，替你戴上金鐲、玉鐲、金項鍊。這是你分別的兒子兒媳婦及孫兒子聊表晚輩們對你物質奉獻上一點兒孝心。往後我和素蘭每年都返鄉請安、問候省親。我們每次回到家鄉，你總是不厭其煩地細說我小時候的點點滴滴；如六歲時被土匪綁票，生水痘高燒不退及父親爲楷公對我的庭訓等等；還說一九六四（民國五十三）年四月父親爲楷公於病榻說：「你將來一定可以看到人儲回來，我是沒有這個福份。」這是我多不願聽到的話，但我還是仍然企盼能見到父親，可是這已是不可能千真萬確的事實。嗚呼！父親，請安息吧！人儲兒永遠會懷念你！永遠會奉祀你。還有我一生不能忘記的民國卅八年（一九四九）至泰和縣政府考取第三編練司令部電訊班赴贛州通天岩受訓，這是我第一次離家遠行，也是我僅有的一次離鄉背井，當父親幫我提著簡便的行李送我到馬家洲汽車站，剛走出家門，母親，你牽著我的手偷偷的給我兩塊銀元（袁大頭），說一個人出遠門，娘不在身旁要自己照顧自己多保重身體，和朋友相處要有禮貌，要守規矩，待人要和氣，這些叮嚀，我做到了，我沒有忘記。還有記得每次返鄉請安時你總是說：家裡現在已經有飯吃，亦能夠吃得飽，以後回來不要花那麼多錢買東西，你在台灣有室有家，有兒女一定要用錢。記得我和素蘭第二次返鄉時我向你稟告：村裡的祠堂族譜在文化大革命時被摧毀，我想重建祠堂、修族譜、修造村裡到白土街的馬路，你說這些是好事，你有能力我完全同意，母親，人儲兒做到了，並已先後完成。一九九二（民國八十一）年，是你的九十大壽，二〇〇二（民國九十一年）是你百歲期頤華誕，我們雖然以傳統或行三跪九叩向你拜壽過生日，但這豈能表達四十多年來因歷史的暴風雨使我未能在你身邊侍奉盡孝心之萬分之一，是終生無法彌補的遺憾。母親！慈烏尚能反哺，羔羊猶可跪足，我怎能自容自諒。

二〇〇六（民國九十五）年四月四日台灣陽光高照，和風日曬，然對我來說卻是一個極爲悲痛難忘的一天，我正在台北參加泰和同鄉會開會，突然接到人伍弟打來的遠洋電話：「母親已不等你回家見最後一面離我們回歸西方去了。」一頓時我心如刀割，五臟俱裂，人伍弟還說他曾向你稟訴：希望你等我回去見最後一面再走，你說：「不要了，你哥哥年齡也不小，何況路途又那麼遠」。嗚呼！哀哉！母親！母親！母親！永別矣！四月九日不孝的我偕你不孝的媳婦蔡素蘭（你的孫子傳楷在學校孫女如娟上班路途太遠未能趕來）帶著：中華江西旅台同鄉會總會會長亦是台北市江西同鄉會理事長黃玠先生、前台北市江西同鄉會總幹事兼江西文獻社長兼總編輯蔡桂行先生、現任中華江西旅會同鄉總會秘書長兼台北市江西同鄉會總幹事李隆昌先生、暨江西泰和旅台同鄉會名譽理事長郭篤周、顧問李宗傑將軍、王治翰博士、常務理事張以董、張寶玉、理事歐陽克沛、監事白志琴、王說堯、名譽理事王道隆、楊贊淦等鄉長；暨前台北市出版公會總幹事亦是閩台出版公司董事長陳礎堂先生、財團法人中華啓能基金會大輿出版集團董事長周法平先生、前台北市出版公會總幹事國語日報主編吳端先生、曉園出版公司董事長游鳳珠女士、文史哲出版社董事長兼總經理彭正雄先生等長官和好友的哀思悼言輓幛，搭乘飛機經香港轉機抵南昌下飛機，即乘正平侄（你的長孫）準備的車直奔泰和回到家鄉，四月十日劉育才（你的孫女婿）從上海專程趕來，我和素蘭、人伍、正平、正芬、正泉、秋英、海英、克松等至泰和殯儀館拜祭你駕鶴仙歸無知覺的身軀。母親！你知道嗎？我有多麼的捨不得你，我流著相思的淚，心痛欲絕，無語問蒼天！當日我們由殯儀館抱著你的靈骨灰返回溉塘村祠堂舉行大殮。四月十一日在祠堂行祭拜禮，全村的晚輩們，和鄰近親友等，絡繹而來給你三跪九叩大禮，還有從吉安市某機關亦派代表來三跪九叩，祠堂內一片肅穆、莊嚴，其情悲悽哀傷，當棺槨移動恭送殯葬時，更是哭聲嚎喊，哀聲載道直至墳地，母親！我們永遠敬愛著你，你永遠會活在我們的心目中。四月十八日我和素蘭返回台灣，五月九日我、素蘭、傳楷、如娟、劉育才、劉峻瑋（你的外曾孫），還有素蘭的姐姐蔡寶玉，姐夫冉廣聚將軍至台北市南昌路十普寺請高僧誦經超薦，祈求諸佛神庇佑你在天之靈安息，再世無量福壽。

先妣之喪，辱承長官戚友祭悼唁慰寵錫輓幛，高誼隆情，存歿俱感謹此叩謝。

《江西文獻》第二〇九期，民國九十六年（二〇〇七）八月

哭傳銘兒記（百日忌）

古有西河喪明之痛，今古稀白髮送黑髮之哀傷，悽乎！悽乎！

民國歲次己酉年八月初八巳時，桃園聖保祿醫院陽光普照，欣聞呱呱嬰啼你來到人間，時我年不惑，心中自喜，雀躍疾呼「我當爸爸囉！」一自始撫育，你兩歲時罹疾久燒不退，命在旦夕，住三軍總醫院二月有餘保全性命，四歲始受幼教、小學、中學、陸軍士校、陸軍技術班、中國工商專科學校；戎馬生涯陸軍航空部隊六載，解甲後習烹飪廚藝，服務中壢餐飲未幾至復興航空公司，德安航空公司任機務員深獲長官譽勉嘉獎，爸媽從未爲你的工作操心擔憂，甚慰！甚慰！

民國歲次己卯年三月初六正午中壢晴空萬里，突然聽見台北瑞芳粗坑口一聲巨響，震烈五臟，電話傳來噩耗你永別矣！你爲德安航空公司鞠躬盡瘁，犧牲成仁，嗚呼哀哉！頃時天翻地覆，仰天椎心而泣血也！

憨厚勤勞，工作不懈怠不取巧，踏踏實實做到最後完成爲止是你堅持的本色；不爭功、不諉過、不惹事生非，誠誠懇懇是你一貫待人的態度。奈何！好人遭天妒，英年遽逝，傳銘！傳銘吾兒！嗚呼哀哉！

傳宗接代，孝道未竟你卻先走了，悵！悵！悵！銘刻在心，泣！泣！永遠都是我的好兒子，泣！泣！泣！泣！

千言萬語總結願你早日超生，再世福壽雙全

《江西文獻》第一七八期，民國八十八年（一九九九）一月

拾遺

一九六八（民國五十七）年是我人生轉捩點，是我生命的轉機。

在此之前，我從樹林某部隊調至龍潭某單位，其性質是滲透敵人後方發展游擊武力，協助敵前部隊對敵人打擊當日，班主任包先生召見我，詳細問我大陸家庭狀況及環境，並鼓勵我結婚成家，可是，當我們瞭解了單位性質後，每位成員的心目中都無結婚成家的想法，祇知道在敵後打仗抱定必死的決心，哪還想結婚成家。每個月微薄的薪水花的光光的，沒有存錢。

民國五十六年由好友冉先生的介紹認識了我的內人蔡素蘭小姐，蔡小姐出生台北縣瑞芳鎮九份，風景優美，尤其近數年來九份老街，還有金瓜石黃金博物館都成了觀光景點，好不熱鬧。我們經過半年的交往，定於民國五十七年六月十日結婚，但司令部某同仁也於六月十日結婚，打電話給我說會影響彼此喝喜酒的客人，希望我將時間延後，我二話不說地回答：「我改於六月十六日。」我們結婚發的喜帖是一百張，出乎我意料的是，我原先預判結婚那天到的客人是十桌，最後連工作人員加起來竟有廿桌。

素蘭待人誠懇，能吃苦耐勞又節儉。時間過得很快，不知不覺結婚已四十幾年，我因沒有存錢且工作多在外島、中、南部，甚少在家，素蘭含辛茹苦把家持理得井井有條，對子女的管教採開明的原則，由孩子們自動自發的管理，要求自己做功課，學校的成績仍持平過去，惟長子傳銘成績平平，惜已於廿九歲因意外往生。次女如娟從小學就沒有參加補習直達考取東吳大學的社會工作系、企管系雙學位畢業，我要她繼續讀碩士研究所，她說要結婚不想升學，我問她：「是不是台灣大學學生？」她很訝異地看看我說：「你怎麼知道？」我說：「他叫什麼名字，什麼系畢業？結婚是正常的，但我沒有太多錢買嫁妝，要你繼續讀書就是給妳的嫁妝。」她接著說：「他叫劉育才，化工系畢業，你對華僑的印象怎麼樣？」我問：「哪裡的華僑？」她說：「馬來西亞。工作很好。」我說結婚後，劉育才現在大陸寧波某台商創設的健峰管理技術研修中心擔任老師，如娟則在寧波照顧兒子劉峻瑋，母親兼家教。么兒傳楷從國中就不參加補習班，高中聯考考取師大附中，大學考取交通大學，管理科學系兼輔資訊工程學系畢業，研究所考取台灣大學資訊工程所，畢業後，自己即刻到中壢市公所兵役課申請當兵，退伍後，去鴻海應徵工作錄取至大陸南京富士康公司擔任工程師三年，因工作與自己所學與理念不合辭職。這裡我想說明之所以給么兒取名傳楷是盼望他能記住祖父，我的父親爲楷公，因民國七十二年他出生時，台灣與大陸仍是敵對狀態，並未開放回鄉探親，在我的心目中認爲這輩子不可能帶他們回家鄉。

素蘭雖然沒有讀很多書，但學習力很強，尤對烹飪能做一手佳餚，深得曾到寒舍用餐客人的好評；尤其每天的早餐總是變換不一樣的餐點。這是我的口福，亦是我有幸得到一位賢內助。

近幾年，粗體欠安，脊椎骨S型彎曲影響行走時腰椎痠痛至爲不便，使參加喜慶及社團活動：中華民國退伍傘兵協會常務理事、中華民國江西省旅台同鄉會總會理事、台北市江西省同鄉會理事、台北市江西省泰和縣同鄉會理事長均由素蘭扶持，僅此感謝。

這裡報告一個有趣的事情：

民國七十年，我由屏東調台中興中嶺，在接到命令時，同事們都說新單位的主管宋中將是赤面無私，若有不順意，即時罵人，當我報到第三天宋先生要我陪他到新建的中正堂看工程進度，宋先生做事很細心，對中正堂的每個窗戶若有一個螺絲釘或釘子沒有釘好都要記下交給工兵組長，就這樣每天晚飯後，都要我陪著從我們住的地方到中正堂，經過一個大操場，有天我們到中正堂走過大操場，我鼓起勇氣向宋先生說：「我來報到時很多人說要小心，宋先生很喜歡罵人。」他聽了回過頭看我，我即刻說：「你罵人是有道理的。」他接著說：「你看，工兵組長交代的事總是不能及時完成，當然要講。」自那天起，我沒有挨過罵另外有幾件事情順便提出來：第一，是我問中正堂是誰設計的？宋先生說：「怎麼有問題？」我說：「這位設計的先生很有才藝，我們站在對面山上看，很像一條龍。」他聽了沒有說第二句話。第二，是在營區大門原來是一顆元帥的大印，我向宋先生報告：「這顆大印不好，把司令壓住了不能出頭。」他說：「你會看風水？」我說：「不懂風水，只是心裡有這樣的感覺」他說：「那要怎麼做？」我說：「豎立一個總統銅像。」沒有想到第二天早餐會報，宋先生指示工兵組即刻動工拆掉那顆大印，由政二組找人塑製先總統　蔣公的銅像，三個星期完成基座，五個星期揭幕，我們按指示完工，第三，總部公文舉辦清除思想汙染漫畫比賽，因我不是學美學的，對漫畫是外行，我想了幾天想了一個辦法，要參謀通知部隊調查政戰學校美術系畢業的學生，每人按規定畫一套漫畫送軍團，再召集畫畫的官兵大家觀摩，提供意見，以集思廣益彙整出一套漫畫，裱裝好，送陸總部評審，結果榮獲第二名獎牌一面。

夢

時間似流水，帶走了多少青春、歡笑，也帶來了多少春天快樂……和憂鬱辛酸，年老的揮手了，年青的變老了，年幼的成長了，哦！我什麼時候記憶過，春天的快樂、歡笑……它悄悄地離我遠去了！

有人說：「人生如夢」，那麼應該是充滿彩色的美麗的夢。

夢是生命的希望，生活的理想；有夢的人才有希望，有希望的人，才有理想，有了理想，才會努力奮鬥，夢是萌芽，希望是綠葉，理想是花朵，現實是果，看，多少人爲了實現他的夢，潦倒了又爬起，喂！你有過夢嗎？是一個美麗的，燦爛的……。

復興文藝月刊社編輯部便箋

人儲先生：大作拜讀過了，我們實在佩服您的創作精神「夢」寫作流利。「談談學習」尚可，該屬論文類型，「游太武山記」似稍嫌煩雜未能精練「太武廟」當係「海印寺」之誤，然否？「夜」「墾荒」都能顯出作者的才華。新詩中以「耕牛」意識技巧都佳，惜本刊新詩過多，恐勞錦注故併一同退，有紅線者請您再修正，當更能進步。

祝

十一、廿九

如何辦好思想工作講習班教育

壹、前　言

思想工作講習班教育是當前國軍思想教育方式的一種，也是基於革命情勢及部隊實際需要的專案教育，召訓的對象也是有其特定的對象，其目的在強化思想武裝，嚴密基層組織，促進官兵障部隊安全，以厚植建國戰力。

今年思想工作講習班仍是以排、連長及營連輔導長，互助組長優秀士官具為召訓對像，並以互助工作之研討為講習重點！由此足以顯示「互助組」在基層官兵組織中的重要性及其所涵蓋的時代意義。因此思想工作講習班辦的好壞直接影響部隊的團結進步，亦影響國軍整個的成敗。所以如何辦好此項講習教育實為每一個辦班工作人員的重責大任；謹就我個人過去辦班的心得簡述如後：

貳、具體作法

甲、計劃階段

一、妥擬計劃：

「凡事豫則立，不豫則廢」任何工作必須有周詳，完善的計劃，才能有步驟有顯序的完成，要辦好思想工作講習班，同樣先應依據上級的講習計劃，並針對本單位實際狀況妥擬可行的具體計劃，據以貫徹實施。，

二、精神動員：

講習計劃頒佈的同時，應將內容要點送請同級黨部審議通過，並請求全力支持；針對單位特性，頒發工作指示，討論題綱要求各級透過小組會，榮團會、「莒光日」時間展開討論，掀起精神動員高潮，揭開講習序幕，使每一個參加講習的同志，以能參加講習爲榮耀，進而做好一切心理準備。

三、愼選幹部：

「幹部決定一切」一個單位有了優秀的幹部。必然是團結進步，甚具戰力。辦思想教育講習班。工作繁巨，責任重大。唯能慎選品學兼優，反應敏捷，思維細密，有創見，有耐性，具有高度的服務熱忱，能任勞任怨的幹部擔任，則講習教育必定成功。

四、先期輔導：

爲使參加講習官兵先期瞭解—教材精義，熟記教材主要內容：各單位領到教材後應即轉發各單位講習人員，排定進度，利用時間集中研讀、圈點、眉註，且在集體研讀時，遴選優秀同志提出心得報告或舉辦有獎徵答，以提高研讀興趣，達成先期輔導目的。

乙、實施階段

一、班務工作：

(一)選定辦班地址：幽美的環境可增進教育效果，選擇班址必須適合教育條件，如生活區與教育區能緊密接鄰，水電設施良好，否則不僅影響教育的推行，同時也減低教育效果。

（二）嚴密協調連繫：依據上級講習計劃規定，召集支援單位與送訓單位有關人員開協調會，就上級法令規定及召訓人數之分配，要求支援事項提出報告，籲請通力合作有效支援，會後並隨時與各送訓單位保持密切連繫，適時幫助送訓單位解決疑難，使講習工作，順利推展。

（三）舉辦幹部講習：期使辦班幹部確切瞭解辦班的意義和目的，不是為辦班而辦班，而是為建軍備戰，訓練基層幹部，強化官兵組織，促進部隊團結進步而辦班。因此在開班前集中辦班幹部，將講習計劃，教材內容及有關規定，實施講習，以溝通觀念，統一作法，應使每一位辦班幹部深惑能參與辦班工作為榮，進而全心全力，貢獻自己的智慧能力，達成講習任務。

（四）訂定工作進度：設置教育管制室，將全盤工作、班務、教育、訓導、行政諸工作製作進度管制表，逐項管制執行，每月檢查，發現不利因素或未按進度遂行者，即採取有效措施，督導執行，期達無缺點之境地。

（五）妥善管制預算：歷年辦班經費都是有限，如不撙節使用，必然影響教育之遂行，因此各項教育設施應盡量利用原有設備材料，再予充實佈置，一切工作本著當用則用，能省則省之原則推行教育工作。

（六）實施班務檢查：講習期間，每日召集辦班幹部及隊職幹部就當日班務、教務、訓導，行政等工作得失提出檢討，尤對學員意見反映，應提會研討處理，於次日答覆說明，確實做好今日的缺點不留到明天。每期結訓尤須舉行擴大檢討會，做到檢討缺點策進來茲。

二、教務工作

（一）舉辦教官試講：除檢查教官教案、圖表、輔助教材外，為要求教官對課程內容瞭解與熟記，應實施試講，並輔以抽問、討論等方法，以期融會貫通，循序施教。

（二）管制課程進度：繪製課程進度表，張貼於教育管制室，要求教官必須按排定時間上課，若某一教官因故未能上課時，即通知預備教官上課

（三）駐班隨堂督課：由教育執行官以上之教育委員輪流駐班，隨堂督課，考察教官教學及學員受課情形，發現缺點，立即要求改進。

（四）做好分組討論：除做好分組編組，慎選主席外，應將討論題綱印

妥分發人手一份，並輔導要求指導員運用引言人，於討論時起帶頭示範引導發言，如發現有偏差錯誤，應立即駁斥予以導正。

（五）課程重點提示：教官於電視教學前應宣示課程內容重點於收視電視教學後，抽問二至三人對課程瞭解情形，以加深學者印象，落實教育效果。

（六）辦理作業評比：各項作業、心得、筆記，先由分組督導員評閱選優送中隊複評，成績優異者，呈班本部公佈，辦理獎勵，並以「飛鴻報喜」方式分寄學者家長與原屬單位，以增進教育績效。

（七）提供學習方法：從聽—聽講授、聽訓話、聽廣播。看—看輔教掛圖、看錄影教學、看輔教設施、看幻燈圖片。讀—讀訓詞、讀講詞、讀教材、讀資料。想—想問題、想狀況、想方法、想答案。寫。寫筆記、寫作業、寫作文。講—分組討論、心得報告、課程疑問，以求做好動靜配合、扣緊環節。

三、訓導工作

（一）精神佈置：一切精神佈置，均應結合教育主題、本著平實、美觀、大方、節約有效的原則，於教育區、生活區，分別設置以達處處有教育之效。

（二）**晨間讀訓**：依據規定上級頒發訓詞排定進度，遴選口齒清晰同志於每日晨間讀訓廿五分鐘，再由主持人抽一｜三人作口頭心得報告，以加深學者的印象與心得。

（三）**輔教活動**：爲活潑學者身心，增進教育效果，應針對教育環境，結合單位特性及教育主題，舉辦軍歌比賽，拔河比賽，團體遊戲，趣味競賽，有獎徵答等活動，使受訓學員高高興興的來，充充實實的回去。

（四）**編印班刊**：每期出刊分發學員，以課程重點，長官訓示，個人模範事績，生活花絮，課程釋疑，班務要聞爲編輯內容，以收輔教之效。

（五）**釐訂中心德目**：爲規律言行，每日釐訂一中心德目主題，如「效忠領袖、擁護政府、忠誠精實、刻苦耐勞、同仇敵愾、冒險犯難」公佈於講堂及各隊中山室，以提高學者精神修養。

（六）**設置輔教館**：視教育環境狀況，結合教育主題以漫畫、圖表、壁報、圖片實物資料等設置輔教館，並排定時間要求學員輪流參觀，以堅實教育效果。

（七）開設「忠誠之聲」：區分「美好晨光」、「好的開始」、「互助園地」、「ｘｘ暮鼓」等四個單元播出，內容以 蔣總統知勉錄、班務要聞、課程重點、生活花絮、好人好事、勵志小語、淨化歌曲、學員服務、問題解答等爲主，並針對每日講習主題，編撰錄製「說說唱唱」節目，於每日午間播出，以收寓教於樂之效。

（八）慶生餐會、增進情感：講習期間適逢當週生日之學員，於每週四晚餐時，由餐會主持人切壽糕，頒發賀卡、禮品，全體學員齊唱生日快樂歌，同賀誕辰。

（九）看圖猜謎，有獎徵答：以「團結互助」爲主題，繪製圖片，置於交誼廳或文化走廊，每日更換，接受學員看圖猜謎，全答對者酌發獎品鼓勵。

（十）擴大表揚，榮譽分享：凡表現優異之學員除頒榮譽狀及榮譽信箋信紙外，並以「榮譽分享」函其家屬，「提前報喜」函其服務單位；「追蹤表揚」至其一級單位。

（十一）大家寫、大家畫：印發稿紙人手一張，要求學者人人依據教育主題，寫下自己的心聲，畫出自己的惑受，於報到時送繳，選優張貼中山室或文化走廊，以增進教育效果。

四、行政工作

行政工作是為學員服務的工作，亦是講習教育的「潤滑油」，對教育成敗有著關鍵性的影響；因此要講習教育有著優異的成效，必先做好行政工作，其範圍包含辦好伙食，美化環境，勤務支援與管制，生活照顧與紀律要求，並策訂應變措施，辦妥結束工作。只要有週詳綿密的計劃作為，就必定把整個辦班工作做得有聲有色，對整個講習教育有著極大的貢獻。

五、擴大教育效果

（一）有效運用教材：各單位對凡是參加講習之互助組長，於講習歸建後應遴選較優者於週（朝）會，榮團會時間提出學習心得報告，師級單位可收集講習教材，拷貝講習影帶、分區辦理班長或未參加講習之新進互助組長講習。

（二）踐履互助要求：基層幹部及互助組長，經過一週的講習後，相信對導正工作觀念增進工作認識，統一工作方法，當已有深刻的印象與效果，為強化工作深度，各單位可依此次講習內容印製工作卡，發士官兵隨身攜帶，踐履篤行。

（三）強化工作督導：對互助組長，基層幹部除實施定期與不定期督導，各級主官（管）留應經常親訪與座談，以瞭解工作狀況，解決疑難問題，表揚優良，鼓舞工作情緒，強化工作效果。

參、結　論

互助組是一個全面性，經常性的實體組織，自設置以來，在促進官兵團結，提高部隊戰力，雖已發揮了它的功效：但不可否認仍有它缺點的存在。故本年思想工作講習班召訓主要對象為營以下領導幹部，期使基層幹部能確實領導運用互助組，發揮互助組最大功能，我有信心經過這次總結性的講習之後，在現有的基礎上必能「百尺竿頭，更進一步」；在領導運用上必能擷取經驗，發揮創意，將來必能為軍事開路，也必能達到「鞏固自己，戰勝敵人」的最終目的。

《陸光報導》第二九期，民國六十九年（二〇〇七）十一月一日

新詩

遐思

浩海茫茫，
我駕著思想之舟，
逐彼飄蕩；
白雲堆堆，
我伸展思想之翼，
自由地入雲翺翔。

穿過雲層，
橫渡梅洋，
在依戀的故鄉呵！

插起了統一的旗，
寫下生命的詩章。

《情繫桑梓——吉安地區旅臺同胞感懷輯》一九九八年九月出版

辛勤的工作者

白天、夜晚你都是一樣
工作、休息你從不計較
默默背起十字架
邁向勤勞的目標
狂風暴雨中的磐石
永遠奏出不屈不撓的吼聲

你
聰明的智慧
闡揚著五千年的正統思想
粗壯的手

開拓了美好的前景
矯健的足
踩出勝利的康莊大道

看
高山爲你低頭
河水爲你讓路
荒涼的沙漠展露了綠色的笑容
黑暗向你豎起白旗

啊
辛勤的工作者
宇宙爲你鋪上錦毯
人類因你寫下永恆的詩章

《情繫桑梓——吉安地區旅臺同胞感懷輯》一九九八年九月出版

探親

返鄉探親第一回，
青山綠水依舊美；
鄉親好友齊歡聚，
歷史恩怨酒一杯。

《情繫桑梓——吉安地區旅臺同胞感懷輯》一九九八年九月出版

偉大的工作者

（一）

在別人工作的時侯
你工作
在別人休息的時侯
你也工作
像駱駝默默地
在郊野奔走。
狂風暴雨
打不破你那股逸興
槍林彈雨中

你更沉矯・堅定。

（二）

一根線
綿亙在田間，山林
在城市，鄉村，
意志的溝通
感清的連繫
沒有絲毫阻滯
這是你血汗的賜與。

你
軍中的神經
團結着陸、海、空

向侵略者進軍！
我歌誦，我歡欣
無名的英雄！
你爲真理犧牲
向世界報奏勝利的歌聲
偉大的工作者——通信兵

《革命文藝》第一期，民國四十五年（一九五六）四月十五日

雨歇後

雨纔過，
秋色淒淒，
山，暗自泣！

雲乘風飄浮，
月蒙羞。
孤雁，
怎耐得住，此般寂寞！

《文壇》第七七期，民國五十五年（一九六六）十一月一日

離 情

浩海怎能阻斷我的思念，
平靜的心湖，
盪樣起別離的漣漪……

你嫵媚的笑，
像一朵清香的荷花，
妳溫柔的語言，
像琴鍵上躍動的音符。

哦！讓我以淚雨，

灌注——

這萌芽的愛之嫩苗吧！

《青年戰士報》第四版，民國四十六年（一九五七）八月十三日

浮　萍

莫笑我無根，
我本是同你一樣，
有我生長的地方，
可惡的暴風雨，
吹毀了我可愛的故鄉。

爲了追求永遠不變的眞理，
我走遍天涯海角，
逐波飄蕩，
爲了實現一個遠大的理想，

任憑暴風雨的侵襲，
我誓不屈降。

船

自人們有意造我的時候，
海便是我的歸宿；
我愛海，愛海的——
浩瀚　深沉，
熱情　勇敢。

上帝給我一支舵，
　　一張帆；
當那茫茫的海洋。
掀起暴風的時候，

我扯起生命的帆；
向大自然展開博鬥。

但，當我被淺擱在遠方沙灘上的時候，
我乃如流浪人做著還鄉的夢。

民國四六、四、一　於台北

戀曲

兩條脈流的小河，
發源南北不同的山澗。
岩礁　叢林　曠野
給
他們一次又一次的試煉；
爲了共同的理想，
他們不休止的奔跑。
時間、空間的賜予，

最後在紅色地毯的一端
譜出生命之歌！

民國四四、七、一二於金門

耕牛

霓虹燈的炫耀，
紙醉金迷的欲望，
高樓大廈的享受，
從沒有做過幻夢。

忠誠背着希望的犂刀，
默默地耕耘荒蕪的田園；
像一個失去了影子的人，
從地層裡找尋自己。

是眼淚、汗晶、血滴，
用生命之泉灌漑，
使荒涼的土地綠化了。

民國四四、五、一九　於金門

送別——給ｘｘ

你的忠誠　熱情
我的純真　樸實
短短的相處
已溶成了鋼精

昨天你說
又要勞燕紛飛
我含淚相留又相送
在這大時代裡
不分彼此，風雨同舟

沒有餽送也沒有餞別
一顆虔誠的心在默禱！
祝福
你一帆風順
前程萬里

修路者

路——
是先烈的血汗和頭顱舖張的，
是誰——
　蹂躪的這樣百孔千瘡。

修路者！
你是爲這路的坎坷
還是看不慣塵世的不平，
流着淚，
扛起時代的十字鎬，

彎下了背。

你與血汗，
當柏油；
你用頭顱，
當石塊；
修復先聖先賢留下的路，
傳給後代子孫……。

願

願像那耕牛，
用我健壯的身軀，
背負實踐的犁，
翻過荒涼的土，
撒下主義的種子……

願像那駱駝，
用我誠墾的肩峰，
戴負革命修重擔。
摧破竹幕，
勝利的歸去！

民國四六年三月一日於台北刊登工作通信二期

退休

閒雲野鶴四海遊
尋幽覽勝自悠悠
笑問人間多少事
榮華富貴空無有

金門

古寧頭，
你穿著歷史的彩衣，
激昂地唱著正氣歌，
雄壯的歌聲喚醒了山岳、河流、世界
你，時代的歌手！
為這一代唱出了未來……。

我們歌唱，縱情地唱吧，
我們舞蹈，盡量地舞蹈吧！

啊，金門
如今離別了，
但當我獲得了這份光榮，
我們又重逢在這碧綠的海上的時候，
你戴著世界最高貴的冠冕，
掛著勝利的勳章，
雄赳赳的屹立在中國東南海上，
我們握手！

《江西文獻》第一〇二期，民國九十四年（二〇〇五）八月

退伍

年復一年
春風秋雨
催冬眠

我
金劍已埋
壯志不再

憶
當年綺麗夢想

如今
兩鬢如霜

《江西文獻》第二一七期，民國九十八年（二〇〇九）十一月

夜

母親
披穿黑色禮服；
晚風送來——
蟋蟀悅耳的歌聲。
誰，
摘下天上的星星；
撒在溪邊的草叢裡
閃閃發光。
魚兒，
不甘寂寞，

在溪水裡
追逐月亮玩耍。
孩子們，
在母親懷裡，
編織，
美麗的明天。

《江西文獻》第二一〇期，民國九十七年（二〇〇八）一月

農村曲

（一）

天邊波起多彩的晚霞
恬靜的農村炊煙裊裊
淳樸辛勤的農夫
抖落了一天的勞累
牽著牛、背著犁
哼著自己的馬賽進行曲
踏著輕快的步伐走向溫馨的家。

（二）

村前的溪流
不休止的奔流
似遊子久鬱的憂思
像伊人訴不盡的情愫。

啊！溪流
你為追尋一個夢。
不辭千辛萬苦
奔馳那遙遠的地方！

《江西文獻》第二〇七期，民國九十六年（二〇〇七）一月

再哭傳銘兒（週年祭）

卅年塵緣淚汪汪，
你的音容，
我豈能忘；
嗚呼哀哉！
深山孤魂，
何處話淒涼。

台北縣粗坑口
枉死冤魂地，
非吉祥；
你爲任務歷艱危，

魂飛瑞芳山，
英靈存常；
嗚呼哀哉！
傳銘　傳銘吾兒！
永遠　永遠家人思想——

長青孝園金華山，
地勢五爪金龍，
福蔭世代子孫綿長；
我往訪，
淚已乾，
鬢如霜；
祇願伴汝長眠此，
兩茫茫！

《江西文獻》第一八一期，民國八十九年（二〇〇〇）八月

基層工作七年有感——自述

七年基層如一日，
五更靜思易二主；
同儕才高皆榮調，
惟我株宋繼努力。

回朔七年無建樹，
跋山涉水我隨行；
模範第一僅廿四，
官兵血汗總結晶。

蛟龍任務我參與，
勢局變遷未遂行；
前驅訓練多驚險，
同志合力獲嘉評。

日常工作重實在，
虛偽造假欺自己；
一言一行我謹慎，
服務熱忱掌兵心。

工作執行把重點，
緩急輕重須分明；
測驗競賽用技巧，
鼓舞士氣最要緊。

公務認真遭譏語，
主官面前先說明；
我不貪財敢直言，
我不怕死心地正。

官兵權益需保障，
處置問題應公正；
疏導情緒爲要務，
約談官兵知群情。

結合群眾用組織，
組織運用唯核心；
交付任務要簡單，

工作完成即獎勵。（多）

七年生活在團隊，
彼此瞭解多情誼；
推展工作不徇私，
忍氣吞聲是要領。（是）

忠誠負責座佑銘，
毋忘在莒我推行；（徹底）
建設國家總目標，
完成統一享太平。

附錄

文化紮根從出版做起——專訪黎明文化事業公司

台北分公司經理蕭人儲先生

林岑玫

人言「酒喝八分，龍字飛奔」，以一手好書法著稱於出版界的黎明文化事業公司台北分公司經理，常言「龍」字要寫得好，須在酒喝八分醉之際，才能顯出龍州尊貴神氣，此次專訪對象即是這位溫文的長者一一蕭人儲先生。

黎明文化事業公司的組織，是由財團法人董事會下，設董事長、總經理、副總經理一人，以下分設編輯部、企劃部、財務部、營管部四部門，編制人員計八十餘人，初創於民國六十年九月，目前總公司位於台北市信義路一段三號十樓，台灣地區分公司包括：台北、台中、高雄、花連等地；海外分公司設立地點包括：美國舊金山、法國、韓國等地，均以發揚中華文化、促進國家建設為設立宗旨。

黎明所出版的書籍多達三千餘種，包括：文史類、哲學類、社會科學類、自然科學類、美術類等，目前均維持一個月二至三種以上新書的常態出書。即將出版的重點書籍是民俗字典及軍語辭典，皆是出版界的一大突破，也是工具書類別的新里程碑；已出版的「中華文化百科全書」因受海內外肯定，大陸方面雖有類似的書籍，仍向公司接洽，希望得到授權，可見，只要是好書絕對不寂寞。未來的出版方針有二：一是對導正社會青少年的書籍，將著力規劃出版；二是出版軍中所需的文化書籍，明訂此種出版方向，乃鑑於青少年是國家未來的棟樑，思想正確的書籍，有利於導正其未來的人格發展軍人的再教育是國家既定目標，故此二者所需的書籍當今黎明的出版方向。

黎明在中正國際機場、松山機場及小港機場設立服務站，在台灣地區是一創舉，其營業狀況亦日趨穩定。這種文化服務站的設立，在國外行之有年，甚至大陸機場普遍設有新華書店，卻未能在台灣建立觀念。蕭經理爲文化推行首在潛移默化中，先決條件即是接受文化訊息的管道必須普及，車站機場是人潮密集所在地，更各國人士川流不息的地點，在此設立服務站，售賣書報刊或有關中華文化的書籍，不只提供等車等機的乘一次文化服務，也將中華文化延伸至更遠的地方，因此，車站機場的書報雜誌服務，極值得推廣建立。

台北分公司設立於台北市重慶南路一段四十九號，正處重慶南路書街的黃金地段，雖然書街美名因受經濟不景氣及青少年資訊管道，變而有式微現象，但黎明卻反有擴大營業的計劃。目前營業範圍只限於一樓門市，販售書籍報刊及體育用品，未來將規劃營業範圍自地下一樓至三樓，營業項目除書籍雜誌外，將骨董精品、文房四寶、軍品模型、新潮文具、速食冷熱飲等等，均納人規劃項目當中，這種擴大營業的理念，來自於文化事業亦須自給自足方能求生存，黎明今已是一獨立事業，既不受補助，則應有主動出擊致勝的積極作爲，多元化的經營是未來出版界的走向，現今從事規劃，方能跟上時代潮流趨勢，一經兩三年的停滯不前，則只有被淘汰的命運。

文化事業雖不能以營利爲主要目的，但它卻必須是個賺錢的事業。就生意的角度而言，能做到「有錢大家賺，大家有錢賺」是最好的目標，「有錢大家賺」是消極的營收；「大家有錢賺」則是積極地爭取賺錢機會，然而，不論是消極或積極的方式，當機會來臨時，絕不要錯失機會，例如：當書局訂書時，出版社本身因庫存量不足，無法足數供應書局所需，這是書局爲出版社找到財源，出版社卻因自身因素而錯過，不但出版社損失營收，亦將此機會拱手讓給競爭同業者。

文化事業的確是艱苦的事業，在文化與營利之間的取捨，在讀者與作者間的爲難，有時不免使人產生無力感，但蕭經理仍堅持文化事業值得努力，提升出版品的品質水準，是爲出版品開創更長久的生命力，就社會國家而言，優良的出版品得以提升國家形象，建立社會的善良風俗；就青少年而言，思想純正的作品，有利於導正青少年走上正途，避免誤入無法自拔的歧途，身爲文化工作者，怎樣不依此深思呢？

作者書寫「三羊」向讀者拜年

蕭經理意味深長地道出，中國

統一的前提，首在取得共識，而共識的建立，即依賴文化交流、建設，現今兩岸文化交流頻繁，即爲統一作準備，總言而之，文化是中國統一的根基。結束這段專訪，蕭經理好禮地相送至黎明門口，走在重慶南路上，眼見昔日書店密集排列的書街，數家換上門面，由電動玩具或食品業取代，在現實環境的衝擊下，無法歷經考驗的文化業者終於屈服，然而我們更相信，仍有本著良心的文化工作者，將堅持理想，以現代的企業眼光，不斷地爲文化工作努力耕耘，因爲文化事業不僅是少數人的工作，更是整個中華命脈所在。

《五南營銷通報》第四版，民國八十年（一九九一）二月十五日

美名永芳香

遂川蕭有幹

人儲誕生於溉塘這個人民勤勞，風光秀麗的蕭氏村子裡。他是一位俠膽忠心、耿直爽朗、慷慨揮金爲家鄉樂辦公益事業的突出人物。人儲祖籍江西省泰和縣蘇溪鎮溉塘村。現籍台灣省。少年離家，定居寶島。

人儲學識淵深，志期遠大，心懷仁義，幹事精明。台灣領導器重他，委以重任。數十年戎馬生涯中立下了汗馬功勞。成績卓著，深受愛戴和讚頌。

人儲，他平生廉潔奉公，忠孝雙全，兒女個個博學有爲，肩任公職，爲民服務，可謂一門忠孝，無尚光榮。

在他歸來探親的期間，提出：「建祠、修譜」之壯舉，鄉人皆知，家族人等無不翹指稱讚。

當人儲解囊聯修族譜的喜訊傳來，族人奔走相告。泰和蘇溪鎮之溉塘、旗山、南崗、上崗、中崗；遂川縣新江鄉之大潭、圾溪以及贛南地區之龍南等地之家族，紛紛響應，各自按聯修譜局規定和要求，迅速造好草譜，送交譜局，積極支持聯修族譜的開展。

今在全體工作人員的辛勤作業下，經過兩個春秋，建新祠堂，七修新族譜兩項工程勝利竣工，歡聲載道，喜氣盈盈。

遂川輕印刷社印製的，精裝本的泰和溪南、旗山聯修的新族譜，在喜爆聲中，迅速地迎歸到了各個參加聯修的蕭氏村子裡。族人歡欣鼓舞、互相慶賀，在此同時，一幢嶄新以鋼筋水泥爲結構的「蕭氏宗祠」，亦已落成啓用。祠堂大門邊左右安放一對青石祥瑞石獅子。口銜寶珠，目放金光。新祠堂內各種彩燈高懸，不時閃耀著五光十色的耀眼光芒。一對對柱子上，掛上了人儲親筆書寫的剛勁有力的彩牌對聯，室內更是顯得富麗堂皇，美不勝收。同時人儲又製好了三十餘套新桌新凳以供喜慶之需。溉塘蕭氏宗祠的建立，爲溉塘人民增加了驕傲和光榮。族人盛讚人儲功績輝煌。

人儲重視教育，當他首次從臺灣歸來探親時便資助蘇溪鎮下彭中心完小辦學資金伍仟元人民幣。蘇溪人民感激不盡。

溉塘村原來通往蘇溪市鎮的道路，是一條舉步艱難的羊腸小徑。現在人儲先生又捐款將這條小道修成了一條寬闊平坦的大公路了。各種車輛通行無阻，鄉人無不喜笑顏開。人儲為建祠堂，修族譜等事業，捐款數拾萬元人民幣。揮巨款辦益事，為家鄉創大業，大家盛讚人儲是一位杰出的人物。

有詩為證：

人儲探親歸溉塘，解囊修譜建祠堂。
功績輝煌人共讚，美名載史永流芳。

人儲的光輝事蹟，今載入泰和溪南旗山蕭氏聯修新族譜中，永遠銘記在家鄉人民的心坎裡。他的美名，他的功績，永遠流傳，永遠芳香。

《江西文獻》第二〇二期，民國九十四年（二〇〇五）十一月

蕭公人儲先生墓誌銘

職鍾南山謹識

蕭氏先祖，帝嚳之穆，得姓於周，發祥於商。迄六十九世祖撫平公徙江西泰和溉塘，傳先生業八十六世代矣！先生髫髫，從父爲楷公，耕耘稼穡，性至純孝。母羅氏三秀太夫人，勤儉有常，薰然慈仁。民國己丑，國事蜩螗，輾轉來台，倏焉數十寒暑。午夜撫膺，夢縈桑梓，備感迢迢遊子舉目無親流落異鄉之痛。俟探親開放，旋還閭里，拜謁高堂，祭祀先父及祖。且慷慨解囊：葺故園、拓道路、興校合、纂族譜、建祠堂。以爲恪尊慈命慎終追遠略表寸心耳。軍旅生涯三十七載，戎馬倥傯，羽書旁午，遍走金馬台澎。解甲後任黎明文化事業公司經理八年，此期間爲贛台文化交流多方奔走，不遺於力。另編

「中國大陸大學研究所升學指南」乙書，藉資同胞，周流華夏，遊集瀚學。曩昔先生陽世之時嘗曰：「韶光荏苒，孑身飄泊，雖枝葉繁華，寥義劬勞，惶愧未逮」。特立一天涯海角，不忘故園；炎黃赤子，無私奉獻。十六字

以為自惕亦金晚後，子以傳孫，孫以傳曾。世復世兮年復年，年年世世出英賢！或謂「先」（祖）訓可也！總上所誌，先生畢生行誼云「燕居海隅點點滴滴盡在心頭，小築蓬萊辛辛苦苦皆是血淚」。一世文德曰「野人拓荒自成一家，山牛耕耘此樂萬古」先生字雄才，民國庚午正月二十八日未時生。民國x年x月x日x時辭世。春秋x有x。德配蔡夫人素蘭女士，瑞芳淑媛。懿行著於閔庭，賢聲溢於里巷。子男二，長傳銘，躬忠勵行，任職德安航空公司，慟於民國己卯三月初六日因公罹難。恩被椿萱，澤衍手足；稟命不融，靡所幹念。季傳楷，誕膺天衷，聰睿尚學。女一如娟，堅固貞正，致知有成。婿劉育才，馬來華裔，資度廣弘，刻自樹立。民國x年x月x日x時葬於石門金華山之陽，得天獨厚，金龍五爪，中脈氣聚之處。乃敬綴事蹟諸繫大計者，樹碑表墓，俾芳烈奮乎百世，令聞顯於無窮。其銘曰：

文經武緯，後人彿彷。
誠信天地，世嗣永昌。

茶（酒）會之一般常識

一、長官及貴賓到離時，全體鼓掌示意，不喊口令。
二、主持長官（如有女主人則女主人為準）未開始用餐點時，請勿先用餐點。
三、每人須備衛生紙一份（會場先行準備）用以裹酒杯及指手上油質。
四、酒杯不可過滿，以三分之二為限。
五、與會者可自由走動找尋對象晤談。
六、交談時聲音不可過大，以便對方聽清為限（視對象之多寡而定）。
七、不可使用別人用過的杯子。
八、選食餐點以一件為限，手上不可抓數樣東西。
九、與友及長官晤面或或告退不必行舉手禮，以上身微前傾為度示意即可。
十、如須握手禮先清潔右手（以衛生紙或手巾）左手執杯。
十一、與女士晤面如須握手，由女方主動，否則僅點頭示意。

十二、如因事先行離場，須向主持者面辭，否則不可自由離場。
十三、進飲食不可有牛飲狼吞之現象。
十四、長官高階行經身前，應起立立正點頭示敬。
十五、不可有拉、拖、推之舉動。
十六、面帶微笑，注意個人基本姿態。
十七、不可只選好吃的餐點，不可將食物掉落地面踐踏。
十八、注意前後左右不可碰撞。
十九、不可爭搶坐位及食物。
二十、不可在會場批評攻訐或發牢騷。
二十一、長官及外賓致詞時不可走動取食物，正在進食者，可繼續以手送食物入口，但須面向致詞者。
二十二、如播放音樂，應以與會賓客國家之音樂爲率，音量不可過高。
二十三、致詞者詞畢預判要鼓掌示意，則須先靠近桌櫃邊邊站立，以便立即放下手中物，便於鼓掌。

+國家圖書館出版品預行編目資料

流痕記 / 蕭人儲著. -- 初版. -- 臺北市：文史哲, 民 103.09

頁: 公分.（文學叢刊；336）

ISBN 978-956-314-216-4 (平裝)

848.6 103018189

文 學 叢 刊 336

流 痕 記

著 者：蕭 人 儲
出 版 者：文 史 哲 出 版 社
http://www.lapen.com.tw
登記證字號：行政院新聞局版臺業字五三三七號
發 行 人：彭 正 雄
發 行 所：文 史 哲 出 版 社
印 刷 者：文 史 哲 出 版 社
臺北市羅斯福路一段七十二巷四號
郵政劃撥帳號：一六一八〇一七五
電話886-2-23511028・傳真886-2-23965656

實價新臺幣二二〇元

中華民國一〇三年（2014）九月初版

ISBN 978-956-314-216-4 09336